La dame de Haute-Savoie

Histoires de pêche

La dame de Haute-Savoie

Muriel Lovichi

Quai des Plumes

« Le poisson est un animal susceptible :
en présence du pêcheur,
il prend facilement la mouche. »

Muriel et les poissons

« Ah bon, c'est une femme qui pêche ? »

En général, l'auteur de la question arbore un sourire légèrement narquois, où la surprise, le doute et l'ironie font
bon ménage. Il connaissait les femmes qui chassent, celles
qui gagnent des courses de chevaux, celles qui jouent au
rugby, qui boxent... Et même celles – il en a vu à la télé –
qui font la guerre.

Mais alors, des qui pêchent, surtout comme celle-là, qui
part seule avec son chien et dort au bord de l'eau, qui peut
passer des heures à guetter un poisson trophée, qui jure
comme un charretier quand une mémère n'a pas voulu de
sa nymphe, bref, des malades incurables qui ne pensent
qu'à ça, il n'en avait jamais rencontré.

Les hommes se font une certaine idée des femmes qu'il leur arrive de croiser à la pêche. Une idée sympathique certes, mais très convenue : si elles pêchent, c'est d'abord à cause ou grâce à un homme, un père, un mari, un amant qu'elles ont suivi au bord de l'eau. Elles n'aimeraient la pêche qu'au travers de celui qu'elles aiment. Et de vous citer les exemples de Margaux Hemingway (la fille d'Ernest) ou de Jane Fonda (fille et femme de pêcheurs) et quelques autres encore, personnages mythiques dont la présence au milieu de la rivière est d'abord une saga romantique, la scène d'un théâtre immense et sauvage où leur beauté, leur charme et leur talent trouvent un nouveau moyen de s'exprimer.

Muriel Lovichi n'appartient pas à cette catégorie. Elle ne manque certes ni de joliesse ni de charme. Mais, tout simplement, il ne dépend d'aucun homme que sa passion pour la pêche brûle avec autant de force.
Ce sont des hommes qui lui ont montré le chemin. Marc qui partage sa vie est lui aussi un passionné, guide de son état, excellent moucheur de surcroît. Mais s'il n'était pas là, ce serait pareil.

Muriel est littéralement fondue de pêche. Elle respire pêche, elle pense pêche, elle rêve pêche. Les êtres les plus proches d'elle, à égalité ou presque avec son « chéri » sont les truites, de préférence celles de la rivière d'Ain qu'elle connaît toutes, auxquelles elle a présenté au moins une fois sa nymphe, pour lesquelles elle n'hésite pas à affronter les éléments, les kilomètres ainsi que toutes sortes de mauvaises fortunes.

C'est comme ça, Muriel aime les poissons. Elle les aime à la folie. Ils font partie de sa famille. Ils font partie de sa vie. Ils sont sa vie. C'est une sirène qui a les pieds sur terre (quand elle n'est pas dans l'eau), mais qui vit au rythme de la rivière, de ses courants, de ses plats, des fosses où elle se rêve parfois tournant au milieu de ses chères truites.

Bref, elle est branchée branchies et on se demande parfois en l'écoutant ou en la lisant, ce que vous allez faire avec bonheur, si son destin n'est pas de renaître un jour, à l'issue d'une métempsycose joyeuse, dans la robe d'une zébrée du Doubs.

Vincent Lalu

* * *

- I -

Seule dans la nuit

Les premières chauves-souris qui commencent à virevolter au-dessus de ma tête annoncent la fin imminente de cette journée de pêche sur la haute rivière d'Ain. Il y a déjà un bon quart d'heure que j'ai vu s'en aller le dernier pêcheur qui a fait son coup du soir en aval de moi, tout au bout du plat. L'éclosion de petites olives a mis la rivière en ébullition, mais cela fait un bon moment que l'on ne voit presque plus de ronds à la surface. L'autre pêcheur qui attendait les bras croisés au bout du lisse, a fini par se lasser. Je l'ai vu plier sa canne et finalement disparaître. J'avoue que j'apprécie d'être enfin seule pour profiter du bal des sedges dans la lumière du crépuscule. Dès l'apparition des premiers trichoptères, je me suis doutée qu'il pouvait encore se passer quelque chose. Il était donc hors de question que je sorte de l'eau. J'avais déjà noué une imitation en flanc de cane au bout de ma pointe et attendais le signal.

Les premiers gobages claquèrent à une vingtaine de mètres en aval, mais je ne bougeai pas du rocher sur lequel je m'étais perchée pour n'avoir de l'eau qu'à mi-cuisses et continuai à fixer la surface en direction de la berge.

J'avais rendez-vous avec une truite près du saule et je fus rapidement soulagée de constater qu'elle était ponctuelle. A vrai dire, je l'avais manquée au ferrage la veille et je n'étais pas certaine qu'elle pointe le bout de son nez de sitôt, mais le gobage bruyant devant moi m'assura qu'elle n'était pas rancunière. Je n'avais pas de temps à perdre, car la nuit me rattrapait et l'endroit où le poisson se tenait était déjà complètement sombre. J'avais bien préparé mon coup et déjà réglé la longueur de soie pour ne pas m'accrocher dans les branches. J'envoyai ma mouche légèrement à l'amont et lorsque celle-ci toucha l'eau, je me rendis compte que je n'y voyais absolument rien. Dans le doute, je fixai l'obscurité et quand un gobage franc se fit entendre, je supposai que c'était mon sedge qui en était l'objet. Je ferrai donc instantanément et quand j'entendis l'énorme remous devant moi, je sentis ma canne se plier sous les gros coups de tête du poisson. Évidemment, la truite tenta immédiatement de retourner sous le saule et ayant pris soin de mettre une pointe en dix-huit centièmes, je n'hésitai pas à la brider sévèrement. De fureur, elle fit demi-tour, me fonça dessus et, surprise certainement de me croiser sur son chemin, décida de s'enfuir loin vers l'aval. Je n'avais d'autre choix que de descendre de mon rocher pour essayer de la suivre. Je dis bien essayer, car il faisait maintenant nuit noire et bien que je connaisse parfaitement la rivière à cet endroit, j'avais tout de même du mal à me déplacer dans la pénombre. A chaque fois que ma chaussure butait contre une pierre et que je manquais de finir à plat ventre dans l'eau, je me maudissais d'avoir oublié ma lampe frontale dans la voiture. J'apercevais le reflet du ciel sur la rivière, mais je n'avais aucune idée d'où je mettais les pieds et encore moins où était ma truite. Elle avait arrêté de me prendre du fil, mais je la sentais se débattre comme une folle au bout de ma ligne. J'avançai lentement dans la direction qu'elle semblait donner à ma canne et ce n'est que lorsqu'un énorme remous se produisit à quelques mètres de moi que je sus que la truite était proche. Je compris par la même occasion qu'elle était plutôt grosse et malgré le fait que j'étais complètement désorientée, j'essayai de garder mon calme. Je ne distinguais absolument rien de ce qui m'entourait et me contentai de brider au mieux ce poisson afin de le rapprocher le plus possible de moi.

Au bout de quelques minutes, je crus déceler un peu de fatigue chez mon adversaire et le forçai enfin à se débattre en surface. Je pus ainsi le localiser et l'amener dans le filet dès la première tentative. Maintenant que le combat était terminé, je pouvais rejoindre le bord et sortir mon téléphone portable pour éclairer le mystère de cette prise. Je sentais qu'elle était lourde et lorsque la lumière la dévoila, je ne fus presque pas surprise de découvrir une magnifique zébrée d'un peu plus d'une cinquantaine de centimètres. J'étais satisfaite de pouvoir mettre une image sur cette truite qui m'avait narguée la veille en me laissant sur un échec. J'en tremblais d'émotion. Le combat dans le noir avec ce poisson avait été intense et je sursautai lorsqu'une branche craqua sur la berge.

C'était mon chien Argo qui me rejoignait. Je lui présentai la truite dans l'épuisette. Il la renifla avec intérêt, mais je mis fin aux présentations de peur qu'il ne la prenne pour son repas du soir. J'admirai encore quelques secondes ma prise et la sortis délicatement du filet pour lui rendre sa liberté. Il était temps de s'en aller et après avoir plié ma canne, je me faufilai à travers les saules pour rejoindre le grand champ qui longe la rivière. Ayant passé la plupart de la soirée à tremper dans l'eau très fraîche, je commençais à avoir froid et je me pressais donc pour remonter jusqu'à la voiture. J'avais hâte de prendre possession de mon nouveau campement.

Dans un premier temps, j'avais repéré l'endroit sur internet et dès mon arrivée dans le Jura le matin même, j'étais allée vérifier que le coin était accessible et surtout,

que je pourrais y trouver du bois pour faire un feu en toute tranquillité. Lorsque je retournai sur les lieux ce soir-là, je n'eus qu'une crainte : que quelqu'un d'autre s'y soit déjà installé. Il était déjà tard et je n'avais aucune envie de perdre du temps en retournant à l'endroit où je dormais avant. Heureusement, au bout de quelques kilomètres, je m'engageai sur la piste forestière et constatai avec bonheur que mon spot était désert. La piste se sépare en deux et forme au milieu comme une sorte de petite clairière. Je commençai par une petite reconnaissance rapide pour savoir comment j'allais organiser mon camp. J'optai pour un endroit plat pour garer la voiture puisque je dors dedans. J'avais la place pour faire mon feu à quelques mètres du coffre de la camionnette sans enflammer la forêt, donc tout se présentait bien. Lorsque j'étais venue le matin, j'avais tout de suite remarqué les billots de bois empilés de part et d'autre de la clairière et après un rapide coup d'œil aux alentours, j'avais constaté que toutes les branches et têtes de résineux avaient été laissées un peu partout et jonchaient le sol de la forêt. Je ne pouvais rêver mieux et après avoir fait sortir le chien de la voiture, je m'empressai d'aller chercher du bois. Je ne mis pas longtemps à faire un beau tas de branches prêt à allumer et une réserve qui me laisserait le temps de finir de m'installer. Pour une fois, la pluie n'ayant pas arrosé le département depuis plusieurs semaines, je n'eus aucun mal à « faire partir » ce feu tant attendu. Les flammes ne mirent pas longtemps à éclairer la clairière et j'appréciai enfin le cadre.
De grands sapins se dressaient tout autour de moi et même si l'obscurité derrière leur immense silhouette pouvait paraître inquiétante, je me sentais justement très en sécurité à cet endroit. Je pouvais enfin enlever mes waders, les retourner et les faire sécher pour le lendemain. Après une longue journée dans ces pantalons de pêche en plein été, il n'y a rien de meilleur que de se mettre à l'aise à part peut-

être une bonne bière que pour le coup j'ouvris dans le même élan.

Je ne suis pas portée sur la chopine. C'était juste une façon de pendre cette nouvelle crémaillère, de me faire un petit plaisir, de célébrer une nouvelle nuit dans la nature. Mon chien, qui m'avait entendu décapsuler la bouteille, est venu aussitôt voir s'il n'y avait pas des amuse-gueules afin de partager ce petit apéro privilégié, en tête-à-tête. Je lui donnai quelques biscuits salés et profitai encore de quelques minutes sans rien faire, juste à apprécier le calme. Puis, après lui avoir donné sa gamelle et joué un peu avec lui, il fallut bien penser à me nourrir, moi aussi. Je disposai quelques morceaux de poulet sur un lit de braise que j'avais écarté du feu et dégustai une bonne salade de riz en attendant que la viande cuise.

La journée avait été longue et riche en émotions. Je repensai à cette belle truite du coup du soir. Je me félicitai de l'avoir attendue jusqu'à la nuit sans être sûre qu'elle revienne, puis d'avoir gagné ce combat épique dans l'obscurité et d'avoir réussi à la mener jusque dans l'épuisette. Je la voyais encore bien grasse et joliment zébrée. Et l'évocation de la scène m'arracha un sourire. Ça avait été une journée de pêche vraiment belle, terminée en beauté !

J'étais affamée et le poulet fut englouti en quelques bouchées. Un bon bout de comté acheva de me rassasier. Je rangeai la glacière et remis quelques branches sur les braises, le temps de préparer mon lit. Je ne mis pas longtemps à installer le matelas, un bon coussin et mon duvet à l'arrière de la voiture. Les heures passaient vite et je voulais encore profiter d'un moment de réflexion près du feu. Je partis à la recherche de bois plus gros pour alimenter le feu une bonne partie de la nuit. Je m'éloignais en quête de belles bûches quand j'entendis un craquement dans la forêt.

Je tournai la tête dans la direction du bruit et ma frontale révéla alors trois paires d'yeux phosphorescents, juste en contrebas de la piste. Je m'immobilisai un peu inquiète. Argo était resté près du feu et j'étais nez à nez avec trois « je-ne-sais-quoi » dans la nuit. Les yeux me fixaient sans bouger et je n'en menais pas large. Je sais bien qu'il n'y a pas d'ours ni d'animal féroce dans le Jura, mais ma première réaction fut naturellement une appréhension. Puis, rapidement, voyant que chacun restait sur ses gardes, je me rassurai en me disant que c'était sans doute des chamois et qu'ils étaient sûrement plus effrayés que moi. Je me dépêchais tout de même d'attraper quelques gros bouts de bois et ce faisant, les yeux brillants disparurent dans un fracas de branches cassées. Le bruit s'entendit longtemps derrière les arbres et même si les « bêtes » s'étaient enfuies, je ne traînais pas pour retourner vers le feu. Je retrouvais Argo en train de ronfler paisiblement sur son matelas. Tu parles d'un chien de garde !

Après avoir rechargé le feu d'une bonne brassée de bois, je pus enfin m'asseoir et apprécier ma solitude. Je tendis l'oreille, mais à part le crépitement du feu, rien ne vint troubler le silence de la forêt. Les flammes montaient de plus en plus haut, je les regardais danser comme hypnotisée et les images de la journée resurgirent. Je revoyais toutes ces truites qui m'avaient comblée de bonheur lorsqu'elles avaient pris mes nymphes, celles qui m'avaient fait enrager en étant plus malines que moi et d'autres trop sauvages pour se laisser approcher. Il y avait du poisson dehors aujourd'hui, c'était vraiment bien. Je réfléchissais à de nouvelles stratégies pour le lendemain, peut-être un autre secteur à prospecter en espérant que la pluie annoncée dans l'après-midi ne viendrait pas gâcher la pêche à vue. En pensant à la pluie, je levai les yeux et savourai ma chance de bénéficier d'un magnifique ciel dégagé pour cette soirée. Je m'éloignai du feu pour mieux admirer la Grande Ourse et parmi tant d'autres constellations inconnues, je fus ravie de retrouver celle du Dauphin. La lune, ronde comme le ventre d'une femme enceinte, jouait à cache-cache derrière la pointe des épicéas. La cime des grands arbres dessinait un cercle autour de moi, en premier plan de ce ciel superbement étoilé. Et comme à chaque fois, je me suis soudain sentie minuscule au milieu de cette immensité, minuscule mais privilégiée de pouvoir apprécier la beauté de la nuit.

Je pensais à tous ces gens qui, à la même heure, s'abrutissent devant un poste de télévision, à tout ce monde qui grouille dans les villes. Moi, j'étais au milieu des bois et seul le hululement d'une chouette se faisait entendre à travers les arbres. Je m'estimais heureuse d'être à l'écart du monde bruyant et de vivre de belles heures en pleine nature. La tête en l'air, j'espérais une étoile filante avec l'éventualité qu'un vœu pour la pêche du lendemain se réalise. Le sommeil se manifesta avant l'étoile. Un léger étourdissement me convainquit d'aller me coucher. Puisque les astres n'étaient pas décidés à apporter leur touche de magie, il fallait que je dorme pour être en forme dès les premiers rayons du soleil. Je remis plusieurs gros morceaux de bois sur le feu en prévision de quelques tartines grillées pour le petit-déjeuner et installai Argo sur une couverture à côté de moi. Depuis qu'il avait montré les premiers signes de vieillesse, je le ménageais et le préservais donc de l'humidité en le faisant dormir à mes côtés dans la voiture. Je m'enfilai confortablement dans mon duvet et, laissant les portières grandes ouvertes, je pus apprécier quelques instants la lueur des flammes qui dansaient sur le plafonnier. Je m'endormis très vite en compagnie des truites de la journée.

Au petit matin, un chevreuil qui aboyait derrière les piles de billots de bois me réveilla en sursaut. C'était donc sans doute eux que j'avais croisés dans la nuit... Heureusement que je connaissais bien le cri rauque de l'animal. Il y avait quand même de quoi prendre peur. Les aboiements s'éloignèrent rapidement, laissant place au silence. Mon chien prêt à bondir se ravisa dès que je lui dis de se coucher et se mit à ronfler aussitôt. Le jour se levait à peine et je n'étais pas pressée de sortir de mon duvet. Les truites attendraient bien une ou deux heures de plus...

Plusieurs années auparavant, je n'aurais jamais imaginé que je dormirais seule dans la nature. Je faisais souvent du camping sauvage avec mon conjoint ou des copains, mais je n'avais jamais tenté l'expérience en solitaire. Or, j'aimais tellement ces soirées près d'un feu, ces matins au milieu des chants d'oiseaux... Sans oublier l'envie de pouvoir pêcher plusieurs jours de suite sans faire des allers-retours inutiles, tout cela m'a vite poussée à surmonter mon appréhension. De plus, ayant une voiture utilitaire, je lui trouvais justement une grande utilité de pouvoir m'y coucher à l'arrière. J'avoue que les premières fois, je verrouillais les portes et que je me réveillais à plusieurs reprises pour écouter s'il n'y avait personne qui rôdait dans le coin. Bien sûr, il y avait toujours mon chien qui montait la garde, mais au début, il aboyait sans arrêt, à la moindre herbe qui bougeait, au moindre bruit, ce qui avait le don de m'effrayer encore plus. Finalement, nous nous sommes tous les deux habitués à ces aventures nocturnes. Un matin, je m'étais réveillée en sursaut parce que quelque chose secouait la voiture. Je n'en menais pas large à l'intérieur et ce n'est que lorsque je vis que c'était des vaches, des montbéliardes, qui se frottaient contre la carrosserie que je fus rassurée. Je savais qu'Argo avait peur des vaches et je n'ai jamais su où il s'était réfugié pendant le passage du troupeau, mais je ris encore de la frayeur que nous avons eue.

Je faisais toujours en sorte de m'installer une fois la nuit tombée afin de ne pas me faire remarquer et qu'on ne puisse pas voir que j'étais une femme toute seule. Pour ça, je n'ai jamais eu à faire trop d'efforts puisque de toute façon, j'ai toujours du mal à quitter la rivière avant que l'on n'y voie plus rien pour pêcher. Bien sûr, suivant les endroits, je ne suis pas toujours complètement rassurée et je préfère les coins sauvages. Il ne faut pas craindre la solitude, mais personnellement j'y trouve beaucoup d'intérêt et je n'échangerai jamais aucun lit dans un palace contre une nuit dans la nature.

* * *

- II -

Naissance d'une passion

Il n'y avait pas de pêcheur dans ma famille quand j'étais petite. Les consoles de jeux n'existaient pas et il était hors de question de rester plantée devant la télé. J'ai donc grandi à m'amuser dehors et la plupart du temps avec des garçons, à jouer au foot, à faire des cabanes dans la forêt. J'aimais dès mon plus jeune âge attraper toutes sortes de bestioles que je ramenais à la maison. Mes parents ne voulant pas exaucer mon vœu d'avoir un chien, je contournais leur autorité sous prétexte que c'était pour l'école, en accueillant des phasmes ou des tritons dans ma chambre. Avec mes cousins, durant les vacances, je devenais une experte dans la chasse aux lézards et assouvissais déjà un instinct de prédation certain. Je tiens à préciser que je ne mangeais aucune de mes proies. Nous passions beaucoup de temps au bord de l'Isère en Savoie, où nous construisions des cabanes de plus en plus sophistiquées. Nous inventions des jeux parfois dangereux comme la construction d'un radeau de fortune qui faillit bien causer la noyade de l'un d'entre nous ou alors, ayant découvert une grotte relativement profonde, nous manquions de tous y rester, asphyxiés à cause des torches que nous avions fabriquées avec je ne sais plus quel inflammable toxique. Le lit de cette rivière, juste en dessous du barrage d'Aigueblanche, fut longtemps notre terrain de jeu favori, mais il ne nous est jamais venu à l'esprit d'essayer d'attraper des poissons.

Du coup, ma rencontre avec la pêche est arrivée bien plus tard. Je devais avoir une vingtaine d'années. Lors d'une balade à vélo avec mon copain de l'époque, nous nous sommes arrêtés près d'un petit lac. Je l'avais accompagné une ou deux fois auparavant à la pêche en étang, mais bizarrement je ne m'étais pas du tout intéressée à cette activité à la réputation ennuyeuse. Or ce jour-là, nous vîmes plusieurs poissons différents et ma curiosité commença à se manifester. Peut-être le fait qu'il m'apprenne déjà à reconnaître une truite. A faire la différence entre un chevesne et un gardon. Je manifestai le désir de voir ces bestioles de plus près. Nous revînmes le lendemain. Avec des cannes à pêche. C'est ainsi que je me suis retrouvée avec une canne au toc télé-réglable, hyper lourde, en train de fixer des yeux un bouchon toulousain.
Je crois que dès l'instant où celui-ci a plongé, ma vie a changé. Mon premier gardon a fait de moi une autre femme. Ou plutôt m'a permis de retrouver ma véritable nature. De sentir à nouveau les sensations joyeuses de mon enfance, quand je traquais toutes sortes de bêtes. Et j'ai découvert que cela m'amusait encore énormément.
Le soir même, j'ai voulu savoir comment monter un hameçon et acquérir le minimum de technique pour être capable de me débrouiller seule. Le jour suivant, dès l'aube j'attachai la canne sur mon vélo (je n'avais pas encore le permis de conduire). Une bouteille d'eau, un paquet de biscuits, une bourriche et un sac d'amorces dans le sac à dos, je repartis à la pêche. Le petit lac était à trois ou quatre kilomètres de chez moi et je ne mis pas longtemps pour m'y rendre, d'autant plus que je pédalais comme une dératée sur le chemin de terre qui raccourcissait le trajet.

L'endroit n'avait rien d'enchanteur, à vrai dire. Une ancienne gravière, creusée lors de la construction de l'autoroute. Deux trous (il y avait deux lacs) au milieu de la plaine avec trois arbres qui se couraient après. Mais le lieu était calme et on y avait tout de même une jolie vue sur les montagnes environnantes. La première année, le "double lac" n'apparaissait pas encore sur la carte de l'AAPPMA qui venait tout juste de récupérer les baux de pêche. Alors, je profitais la plupart du temps d'une belle tranquillité et je plaisantais d'ailleurs sur le fait que c'était « mon » lac.

Un soir, je ne fus pas peu fière de ramener deux énormes chevesnes que j'avais réussi à prendre en bidouillant mon montage à l'anglaise pour les leurrer avec une sauterelle en surface. J'étais tellement contente d'avoir réussi à m'adapter à la situation que mon copain se sentit obligé de les cuisiner. *« Pouah ! C'est immangeable, ces machins ! »* Du coup, par la suite, je ne ramenais que les truites comme trophées. C'est dingue, ce besoin de rapporter des preuves... Il faut dire qu'on n'avait pas encore d'appareil photo ni de portable.

Combien d'heures, combien de jours ai-je passé au bord de ce lac ? Tout ce temps à fixer ce bouchon anglais dans l'espoir qu'il coule, et c'était moi qui finissais par me perdre dans la contemplation. A ce moment-là, je travaillais le soir et je pouvais décaler mes horaires, ce qui fait que je me retrouvais souvent au bord du lac depuis le lever du jour jusqu'à la tombée de la nuit. Quand j'aime, je ne compte pas. Comme un même album que je vais écouter en boucle pendant des mois, je m'étais découvert une passion dévorante pour la pêche.

C'est vite devenu une drogue. Une drogue dure. Avec quelques rares overdoses, vite balayées par la découverte de nouvelles techniques et de nouveaux poissons.

Je n'oublierai jamais le jour où j'ai ferré ma première carpe.

Je ne m'attendais pas à ce qu'une force invisible entraîne soudain mon scion jusque dans l'eau. Ce jour-là, j'ai aussi fait connaissance avec la petite musique du frein qui chante. Elle n'a plus jamais quitté mon box-office personnel.

Une carpe, ça fonce droit devant ! On a à peine le temps de se demander ce qui se passe : un tracteur ? une Harley ? Waow ! C'est donc ça, une carpe ! Enfin, c'est ce que je me suis dit une fois rentrée à la maison et qu'après avoir raconté à mon copain ce qui m'était arrivé, il en a déduit que j'avais ferré une carpe. Car la bête dont il était question avait fini par casser mon fil sans que je puisse la voir, me laissant pantelante face à un mystère.

Dès le lendemain, j'amorçai le secteur où je l'avais piquée et je ne tardai pas à renouveler l'expérience d'être attelée à une locomotive. La belle commune m'a fait courir un bon moment autour du lac avant que je puisse enfin la faire apparaître en surface. J'étais sidérée par la puissance de ses accélérations. Étant seule et sans épuisette, j'ai dû mettre une bonne demi-heure pour parvenir à mes fins et immobiliser ce poisson énorme. De mémoire visuelle, cette carpe devait faire cinq kilos et représentait ma plus belle prise. J'étais très impressionnée par le combat qu'elle m'avait livré, elle avait déclenché en moi une nouvelle obsession. Je me focalisai désormais sur la pêche de cette espèce. Sans toutefois m'équiper en fonction de ce nouvel objectif : je ne savais pas qu'il existait des cannes et matériels spécifiques. Je continuais donc à traquer les « dorées » avec ma canne anglaise, ce qui me valut de nombreuses casses et des combats mémorables. En fait, les carpes de « mon » lac n'étaient pas monstrueuses, elles ne dépassaient pas les dix kilos et un dix-huit centièmes avec un frein bien réglé me permettait de venir à bout de poissons d'une taille tout à fait raisonnable. Ce que j'aimais par-dessus tout, c'était le fameux départ de ces fusées et le chant du moulinet qui semblait ne jamais vouloir s'arrêter. Je les pêchais avec une technique improvisée, fruit de ma courte expérience et cela fonctionnait plutôt pas mal.

Je lançais une poignée de maïs pour les attirer (j'avais remarqué qu'elles venaient relativement près du bord.) L'eau était claire et je pouvais donc les voir tourner devant moi et parfois même prendre mon grain de maïs posé au fond. Comme Le Bourgeois gentilhomme de Molière, qui ignorait qu'il faisait de la prose à tout moment, je pratiquais déjà la pêche à vue sans le savoir.

Puis, on m'initia à la pêche au toc. La rivière était un nouveau terrain de jeu et j'alternais les plaisirs entre lacs et torrents. La passion ne faisait que grandir et je délaissais de plus en plus mes occupations habituelles. Certains amis s'étonnèrent de mon engouement peu commun, d'autres se dirent surpris de ne plus me voir. J'avais bien du mal à leur expliquer ce qui m'attirait autant dans ma nouvelle folie.

Quelques années plus tard, me vint le désir de pêcher à la mouche. Cette technique m'apparaissait comme la plus belle et lorsqu'on m'offrit ma première canne à mouche, je crus à un aboutissement de ma passion. Je pensais que c'était l'évolution ultime.

Erreur : je venais seulement d'ouvrir une nouvelle porte qui donnait sur un monde immense, encore plus grand que les précédents. Sur le moment, j'étais loin d'imaginer les possibilités infinies qu'offrait cette technique dans l'art d'attraper les poissons. J'ignorais tout des nouvelles pistes qui s'ouvraient devant moi et des territoires vierges qu'elles offraient à ma curiosité. Je ne savais pas à quel point il me faudrait développer mon sens de l'observation et augmenter mes connaissances du milieu aquatique. Il faut bien avouer que jusque-là, je m'étais contentée d'accrocher quelques appâts à mes hameçons. J'avais certes constaté que certaines marques de boîtes de conserve de maïs étaient meilleures que d'autres par la fermeté des grains. J'avais aussi découvert par inadvertance, suite à l'oubli d'une boîte d'asticots dans la voiture, que ceux-ci se transformaient en mouches, mais je n'avais jamais eu à m'interroger sur le cycle de vie d'un ver de terre. Je n'avais pas non plus supposé qu'il y ait dans l'eau une autre vie que celle des poissons et je m'étais encore moins questionnée sur ce qu'ils pouvaient bien manger à part ce que les pêcheurs leur donnaient ou ce qui tombait à l'eau comme ces quelques sauterelles malchanceuses.

Grâce à la pêche à la mouche, je découvrais l'existence d'un univers peuplé d'une multitude d'insectes et leurs larves. Ce fut une véritable révélation et j'abordai l'entomologie avec une grande curiosité même si je me sentis vite dépassée par la complexité et la dimension de cette science. Je me souviens parfaitement de la première fois que je vis une éphémère se poser sur mon gilet. J'étais assez fière de reconnaître une jolie Brune de Mars et restai bouche bée devant la beauté élancée de cet insecte. Je réalisai ensuite que j'assistais à une magnifique éclosion. Le bal de ces éphémères s'élevant dans les airs fut pour moi le bal de la débutante. Magique.

Dans la même période, je commençais à monter mes premières mouches qui ressemblaient enfin à quelque chose et justifiaient leur nom d'imitation. Ma passion, que je n'exerçais jusque-là qu'au bord de l'eau, envahit alors ma maison et toutes mes pensées. Le temps que je passais devant mon étau était comme un prolongement de mes journées de pêche. Alors que j'habillais des hameçons de plumes et de poils, je continuais à entretenir mes espoirs pour les sorties futures. J'imaginais les poissons se jetant sur mes mouches et éprouvais une certaine excitation à l'idée de les leurrer avec mes créations. Évidemment, une fois au bout de ma ligne, mes mouches n'eurent pas toujours l'effet irrésistible espéré et je me rendis compte que l'affaire était bien plus compliquée qu'il n'y paraissait. J'avais encore beaucoup à apprendre et c'est ce qui m'a définitivement plu dans la pêche à la mouche.

Je découvris progressivement les différentes techniques de cette pêche et, à chaque fois, c'était presque comme un nouveau saut dans l'inconnu qui ne faisait qu'accroître encore et toujours ma curiosité. Ma canne ne quittait plus la voiture et chaque moment disponible était consacré à la pêche. Il m'arrivait même de pousser le vice jusqu'à aller pêcher entre midi et deux, plutôt que d'aller manger comme le faisaient mes collègues de travail. Bien sûr, dès que la journée de boulot se terminait en fin d'après-midi, je retournais embêter les truites jusqu'à la nuit.

En fait, la passion n'a fait que grandir encore et encore. A ce jour, presque vingt-cinq ans après avoir attrapé mon premier petit gardon, j'ai toujours la même envie de courir après les poissons. Toutes les techniques sont bonnes, en fonction de mes désirs, pour répondre à l'appel du monde aquatique.

La pêche est pour moi une obsession, une drogue, un choix de vie. Je pense que c'est aussi et surtout un prétexte pour m'évader et retrouver Dame Nature, car c'est vraiment là que je me sens le mieux. Il ne se passe pas une journée sans que j'y pense, sans qu'on en parle. C'est marrant parce que gamine, je séchais l'école pour traîner avec mes amies. Or, aujourd'hui, il m'arrive encore parfois de sécher le boulot pour une journée de pêche et rejoindre d'autres copines qui s'appellent « Fario », « Zébrée »... Il m'est très difficile de faire des concessions quand j'ai prévu d'aller pêcher. Je n'ai qu'à m'imaginer au bord de l'eau et mon choix est vite fait par rapport à ce qu'on me propose d'autre. Chez moi, il y a des poissons partout : en peluches, en peinture, en déco. Des cannes, des mouches, des fonds d'écrans, des magazines, des livres... Des pancartes « Réserve de pêche » sont accrochées au-dessus de l'évier et à chaque point d'eau de l'appartement, les toilettes, la baignoire, l'aquarium... On ne sait jamais, des fois que me prenne une envie subite de mettre un petit coup d'arbalète à un carassin ! Et tant qu'il y aura des poissons dans les rivières et les lacs, je ne cesserai sans doute jamais d'arpenter les berges avec une canne à pêche. C'est plus fort que moi.

* * *

- III -

Dame pécheresse

– Ça alors ! C'est pas possible... Une pécheresse !
L'homme que je venais de saluer pendant qu'il enlevait ses
cuissardes devant le coffre de sa voiture s'exclama si fort
que je fus presque plus surprise de sa réaction que lui de me
voir. Il s'approcha de moi en écarquillant les yeux comme
s'il venait d'avoir une hallucination et voulait vérifier de plus
près que ses yeux ne lui jouaient pas des tours. J'avais déjà
croisé des gens et souvent des pêcheurs surpris de rencontrer une femme avec une canne à pêche, mais j'avoue que je
n'avais jamais assisté à une telle manifestation d'étonne-
ment. Le monsieur aux cheveux grisonnants semblait avoir
une bonne soixantaine d'années et se tenait maintenant devant moi, me scrutant comme si j'étais une extraterrestre.
Il répéta pour la troisième fois :
– Ah non... mais alors, ce n'est vraiment pas croyable ! Une
pêcheuse !
J'étais tellement abasourdie par sa réaction que du coup, je
ne savais même pas quoi lui dire, à part confirmer timidement qu'il voyait bien. Je commençai à me demander s'il
n'exagérait pas, dans l'intention de me taquiner un peu voire
me draguer, mais dans le même temps, je réalisais que s'il
avait vu la Vierge, il n'aurait pas été plus surpris.
– Une pêcheuse à la mouche ! Eh ben, nom de Dieu !

J'éclatai de rire à l'évocation divine, car j'avais l'impression que l'homme qui me dévisageait avec ses yeux tout ronds était persuadé d'être le témoin d'un miracle. Il se sentit enfin obligé de me préciser que c'était la première fois qu'il voyait une pêcheuse, alors que n'étant pas complètement débile, je l'avais déjà compris. Sa réaction me paraissait tellement ridicule qu'elle en devenait comique. Je pensai que si j'étais apparue à moitié nue avec une plume sur la tête pour ne pas dire ailleurs, le monsieur n'aurait pas été plus surpris. Il entreprit alors de m'interroger comme s'il voulait vérifier que je n'avais pas seulement voulu me déguiser.

En d'autres circonstances, notamment quand les truites sont en pleine activité, je ne me serais pas attardée avec cet individu dont je trouvais la première réaction grotesque, mais la scène plutôt drôle à laquelle je venais d'assister m'encouragea à entamer une longue conversation.
Je passai avec succès l'interrogatoire qui lui permit de se rendre compte que j'étais une vraie pêcheuse. Il me raconta alors qu'il avait déjà vu des femmes à la pêche certes, mais jamais de vraies passionnées. La plupart accompagnaient leur mari, parfois par jalousie, pour s'assurer qu'il ne faisait bien que courir après les poissons, et d'autres fois pour donner l'impression qu'elles s'intéressaient à leur loisir, mais qu'au final, elles n'y comprenaient rien. Son épouse l'avait suivi quelques fois au bord de l'eau il y avait bien longtemps de ça, mais elle n'avait jamais éprouvé le moindre intérêt pour la pêche. Bien sûr, elle aimait les poissons et plus particulièrement les truites mais de préférence avec du citron. Elle s'était donc rapidement lassée de l'accompagner et se contentait de cuisiner les prises qu'il rapportait à la maison. Au moins était-elle rassurée de le savoir à la pêche plutôt qu'au bistrot. Il n'empêche qu'il n'avait jamais rencontré de « pêcheuse » et cela l'intrigua à nouveau.

C'est dingue comme le fait qu'une femme se passionne pour la pêche peut susciter de la curiosité. Il est vrai que cela est encore suffisamment rare pour le remarquer, mais il n'y a pas non plus de quoi être épaté. D'ailleurs, il suffit de traîner un peu sur internet et sur les réseaux sociaux pour se rendre compte que nous sommes de plus en plus nombreuses à taquiner le goujon et autres poissons bien plus grands à travers le monde. En France, on est loin des statistiques d'outre-Atlantique par exemple, mais la pêche semble avoir la cote chez les dames. Certainement parce qu'il n'est nul besoin d'avoir des capacités physiques particulières pour exercer cette activité et de toute façon, il y a bien des femmes haltérophiles, boxeuses ou qui pratiquent des métiers exigeant une grande force physique. On ne tique pas sur le fait qu'une femme soulève un sac de ciment, conduise un tracteur ou grimpe sur un échafaudage, mais il suffit qu'elle manie une canne à pêche pour qu'on s'interroge.

Peut-être les hommes ont-ils trop longtemps gardé l'habitude de partager cette passion entre eux. D'ailleurs, même si c'est de moins en moins le cas aujourd'hui, je dois dire que parfois j'ai presque eu l'impression de déranger en étant invitée dans certains groupes de pêcheurs. Il y en a souvent un ou deux qui me considèrent comme une intruse. Peut-être parce qu'ils fuient déjà une conjointe envahissante, et trouvant refuge dans la compagnie des copains, ils craignent que je sois aussi pénible que Madame. Ceux-là se rendent vite compte que je ne suis pas une emmerdeuse et que je suis juste là pour me détendre, tout comme eux. D'autres, simplement machos, pensent naturellement que ma place n'est pas parmi eux, voire plutôt dans une cuisine, et voient d'un mauvais œil l'éventualité que je les égale sur leur terrain. Les machos, en général, je les laisse volontiers croire que je suis une idiote et que je ne comprends pas grand-chose aux subtilités halieutiques. Cela me garantit une certaine tranquillité avec, en prime, les conseils avisés de ces champions du monde. Bien évidemment, lorsque je prends un poisson sous leur nez, ils considèrent que j'ai de la chance. Si j'en prends plusieurs, c'est parce qu'ils m'ont bien expliqué et puis alors, si le poisson est énorme, c'est juste un miracle. Heureusement, les temps changent et ce genre d'individu est de plus en plus rare.

La plupart des pêcheurs apprécient généralement la compagnie d'une femme qui partage leur passion et reconnaissent volontiers qu'il est bien dommage que nous ne soyons pas plus nombreuses. Certains vont même jusqu'à avouer que justement, ça les change de la présence des machos et qu'ils adoptent naturellement un comportement plus raffiné.

J'ai tout de même remarqué que beaucoup d'hommes gardent cette fâcheuse tendance à nourrir un esprit de compétition dans ce qui à la base n'est pour moi qu'un loisir. Tout est prétexte pour se mettre en valeur que ce soit par le matériel, les connaissances, l'habileté, le nombre ou la taille des poissons pris. C'est à celui qui lance le plus loin, celui qui fait les plus belles mouches, celui qui a la plus longue… canne, celui qui a la plus grosse… prise ! Tout est prétexte pour dénigrer l'autre qui n'utilise pas la même technique, mais prend plus de truites. Celui qui attrape de temps en temps un « trophée », mais que l'on soupçonne de braconnage, celui qui a inventé un truc révolutionnaire mais que l'on accuse d'avoir copié sur Untel, qui lui-même n'avait d'ailleurs rien inventé… Du coup, certains moins doués ou moins chanceux se sentent obligés d'affabuler, d'embellir la réalité pour susciter l'admiration, la reconnaissance des autres. Les critiques fusent sur le Net, dans les salons ou au bord de l'eau et on se retrouve vite très loin de la passion qui nous anime. C'est peut-être pour cela que les femmes ont du mal à se rapprocher ou à chercher à s'intégrer dans ce monde bourré de testostérone.

On suppose que les femmes ont peur des appâts grouillants et des poissons visqueux, mais ne serait-ce pas plutôt les pêcheurs eux-mêmes qui les effraient ? D'autant plus qu'en pratiquant la pêche à la mouche ou la pêche au leurre, il n'est pas question de tripoter des asticots ou autres vers gluants. Je crois surtout qu'il n'est pas facile de se sentir d'emblée à l'aise lorsque l'on se retrouve la seule fille dans ce milieu d'hommes, puisqu'on nous fait trop souvent remarquer que ce n'est pas commun. On se croirait presque obligée à chaque fois de se justifier de notre intérêt halieutique et d'expliquer comment on est tombée dans la potion.

Et c'est justement ce qui intriguait ce monsieur qui me regardait toujours avec cet air visiblement troublé. Lorsqu'il me posa enfin la question qui le titillait depuis le début, à savoir comment je m'étais passionnée pour la pêche, je m'amusais à lui raconter que cela m'était arrivé une bonne vingtaine d'années auparavant. Je me promenais au bord d'un lac et je m'étais fait mordre par un pêcheur. Or, comme il n'y avait aucun vaccin connu à ce jour pour guérir la maladie, depuis j'étais porteuse du fameux virus et souffrais de crises particulièrement aiguës. Touchée par une forme singulièrement virulente du célèbre syndrome, j'étais obligée de suivre des cures fréquentes de « piscicothérapie ».

Le traitement était simple : il me suffisait d'arpenter assidûment le bord de l'eau, munie d'une canne à pêche pour soulager le mal incurable qui me rongeait. Je suivais scrupuleusement mon traitement à base de prises régulières de poissons divers, malgré tous les effets secondaires que cela peut entraîner. Notamment celui de la dépendance qui m'obligeait à respecter une posologie d'une dose hebdomadaire minimum pour ne pas subir le manque et sombrer dans une sévère dépression. En cas de surdosage, je pouvais aussi souffrir d'hallucinations halieutiques ou de troubles de la personnalité qui me laissaient parfois penser que j'étais moi-même un poisson. J'essayais de vivre au mieux avec ma maladie et la rencontre d'autres personnes atteintes du même mal m'avait beaucoup aidée.

L'homme sourit à mon histoire et comprit enfin que nous partagions bien la même folie. Il voulut alors que je lui parle de mes expériences et je lui racontai mes sorties, mes voyages et mes nuits en solitaire au bord de l'eau... Il ouvrait des billes comme des hublots. Il n'aurait jamais imaginé qu'une femme parte seule à la pêche et cela me fit penser à cette fois où les gendarmes avaient téléphoné à mon conjoint pour lui demander s'il connaissait « une certaine Lovichi Muriel ». On leur avait signalé qu'on m'avait vue traverser une ancienne gravière dans l'après-midi mais la nuit étant arrivée, ne m'ayant pas vu revenir, quelqu'un avait appelé la gendarmerie qui s'était déplacée et, par le biais de ma plaque d'immatriculation, en était arrivée à joindre Marc. Il expliqua alors que j'étais partie pêcher et qu'il n'y avait normalement pas d'inquiétude à avoir puisque j'avais pour habitude de rester au bord de l'eau jusqu'à la nuit et qu'il fallait un certain temps pour revenir à la voiture.
Cette anecdote fit rire le vieil homme imaginant la tête du gendarme au téléphone qui s'était étonné d'apprendre que j'étais à la pêche. C'est alors qu'une étincelle illumina son regard. Il m'avoua qu'il venait de se rendre compte qu'il pourrait donc peut-être convaincre sa petite-fille de l'accompagner au bord de l'eau. Son fils n'ayant jamais réellement accroché à ce loisir et étant lui-même persuadé que c'était un truc pour les garçons, il ne lui était jamais venu à l'idée de proposer à la fillette de lui apprendre à pêcher. Il était déjà tout heureux d'imaginer que cela puisse lui plaire et les bons moments qu'ils pourraient partager.

J'approuvai son intention et l'écoutai se projeter dans de futures anecdotes en compagnie de sa petite-fille. En plaisantant, il me dit espérer qu'elle ne soit quand même pas aussi cinglée que moi parce qu'il ne pourrait pas suivre le rythme et nous rîmes de bon cœur à l'idée que la fillette lui réclame d'aller tous les jours à la pêche.

J'en profitai pour me moquer gentiment de sa réaction théâtrale une bonne heure plus tôt et réalisai par la même occasion que le temps avait passé très vite. Si lui avait terminé sa journée de pêche, ce n'était pas le cas pour moi et avec l'idée que les truites se remettaient peut-être en activité, je lui annonçai avec un clin d'œil qu'il était temps que j'aille prendre mon médicament. Avant que l'on se dise au revoir, il me confia qu'il avait hâte de raconter cette drôle de rencontre à sa femme et surtout à sa petite-fille. Il ajouta en rigolant qu'il était très content d'avoir fait la connaissance d'une « vraie pêcheuse », même si elle semblait un peu folle.

Quelques semaines plus tard, alors que j'étais planquée sous un saule pour attendre une truite, j'eus le grand bonheur de voir passer sur la berge opposée, le vieil homme accompagné d'une petite blondinette. La fillette sautillait à côté de son grand-père avec sa propre canne à la main et une belle complicité animait visiblement ces deux-là. J'étais heureuse de constater que notre rencontre avait porté ses fruits et je me régalai d'entendre les rires de la fillette. Je restai cependant cachée puisque ma truite venait de réapparaître, mais je gardais l'espoir de recroiser un jour prochain une nouvelle pêcheuse passionnée.

* * *

- IV -

Un sacré caractère

Puisque c'est son métier, mon chéri de guide est devenu mon mentor en ce qui concerne la pêche. C'est un excellent pédagogue et je crois qu'il a autant de plaisir à faire prendre un poisson à quelqu'un que s'il le prenait lui-même. Il est d'une gentillesse rare et même encore aujourd'hui, il refait parfois mon bas de ligne parce que j'ai la flemme et que je prétexte qu'il le fait plus vite que moi. Eh oui, j'en profite et c'est vraiment classe d'avoir un guide personnel. Il est toujours motivé et jamais avare de conseils. La motivation est une chose essentielle et il est fort appréciable de pouvoir se soutenir dans les moments de découragement. Marc est d'un tempérament très calme, beaucoup plus calme que moi ou tout au moins de ce que je laisse paraître. Je le vois rarement s'énerver ou abandonner et je l'admire pour sa faculté à s'adapter à toutes les situations. Pour ma part, je peux faire preuve d'une immense patience que je qualifie même plus volontiers d'obstination, mais je dois avouer que j'ai parfois un sale caractère. Or, si en présence de copains, j'essaie généralement de faire bonne figure, cela n'est pas toujours le cas avec mon conjoint. Il m'arrive parfois de l'envoyer balader avec même des noms d'oiseaux parce que je n'arrive pas à exécuter ce qu'il m'explique. Je ne suis pas toujours une bonne élève et je peux faire preuve d'une grande mauvaise foi en affirmant que je fais exactement ce qu'il me dit, alors qu'en vérité je n'y parviens pas. Bien évidemment, dans ces situations, les essais infructueux s'enchaînent, me contrarient et forcément, une fois énervée, j'arrive encore moins au résultat attendu.

Refusant d'assumer ma maladresse, je peux même aller jusqu'à sous-entendre alors que c'est de sa faute, que ses explications ne sont pas claires et je lui reproche de me stresser, de m'agacer avec ses recommandations. Si Marc persiste dans ses encouragements, j'opte alors pour les longs soupirs insolents, les haussements d'épaules et finis par lui suggérer d'aller trouver un autre poisson à embêter. Bien entendu, une fois qu'il s'est éloigné, je m'efforce de retrouver mon calme et je m'applique à suivre ses conseils qui se révèlent à chaque fois efficaces.

Heureusement, ces moments de tension sont plutôt rares et avec les années, nous avons appris à bien nous connaître. Marc décèle rapidement le moment où il est préférable de me laisser tranquille et sait maintenant les choses à éviter pour ne pas s'attirer mes foudres.

Cela dit, je dois avouer qu'il y eut une fois ou deux où il n'y était vraiment pour rien. Je ne suis pas très fière d'un certain week-end où je lui ai gâché la soirée du samedi et le dimanche dans la foulée. Je m'étais mis dans la tête de prendre une truite de cinquante centimètres et malgré plusieurs occasions, je n'y arrivais pas. Si je ne la loupais pas au ferrage, elle me cassait ou pire encore se décrochait juste avant l'épuisette. Il m'était même arrivé, à bout de nerfs et en larmes de téléphoner à Marc, suite à la perte d'un poisson remarquable. Cela faisait des semaines que j'enchaînais les échecs et chaque sortie me laissait un goût amer. A côté de cela, je voyais jour après jour des photos de truites aux mensurations de mes rêves défiler sur un célèbre réseau social. J'en arrivais à incriminer mon manque de talent. Et même si je partais encore à la pêche le cœur plein d'espoir, je rentrais souvent dépitée à la maison.

Mais je persistais. D'ailleurs, ce samedi du mois de mai avait plutôt bien commencé. Aucune grosse truite n'avait pointé le bout de son nez, ce qui finalement n'était pas plus mal. Je m'étais surtout amusée à pêcher en sèche tout au long de la journée et quelques zébrées de taille très modeste ainsi que de jolis ombres m'avaient mise de bonne humeur. En fin d'après-midi, nous avions changé de secteur et prospections un nouveau coin. Pendant que Marc pêchait un beau courant au fil, je partis vers l'aval en longeant une bordure qui me semblait favorable pour la nymphe à vue. Le plat était magnifique, mais au bout de plusieurs centaines de mètres, je n'avais croisé que quelques chevesnes. Je retournai donc vers la fin du courant et pendant que je scrutais l'onde, mon attention fut attirée par le bruit bien reconnaissable d'un gobage. Je tournai la tête et découvris une très belle truite qui se nourrissait en surface à peine à quelques mètres de moi, le long de ma bordure. Elle se tenait à l'aval d'un gros bouquet de saules et je ne pouvais pas la pêcher par l'amont. Je ne pouvais pas non plus rentrer dans l'eau puisqu'il y avait trop de fond. Je réfléchis sans bouger puisque le soleil couchant était dans mon dos tout en nouant – presque machinalement – une mouche sèche au bout de ma ligne. Le temps de faire mon nœud, la truite partit se cacher et m'évita ainsi de m'énerver dans le cas d'un nouvel échec, car l'affaire se présentait plutôt mal. Plus tard, certainement des ombres se mirent à gober en fin de courant et je trouvai un unique passage dans l'eau pour me rapprocher d'eux et me percher sur un rocher. J'étais idéalement postée pour fouetter et les gobages allaient bon train. Je voyais les sedges virevolter au-dessus de l'eau et j'avais beau changer d'imitations, les poissons refusaient mes mouches les unes après les autres. Je tentais différents coloris, différentes flottaisons, mais les ombres ont vraiment le chic pour être chipoteurs et je commençai à désespérer de trouver ce qu'ils voulaient. Marc me voyait fouetter comme une forcenée devant les nombreux ronds. Il cherchait un autre endroit pour se poster, mais à part mon rocher, il n'y avait guère d'autre solution pour se rapprocher suffisamment de ses satanés poissons. Je continuais avec acharnement à gesticuler sur ma pierre et la tension commençait à monter sérieusement. J'avais fait le tour de tous les sedges de ma boîte, la nuit n'allait pas tarder à tomber et mon dernier recours était qu'un ombre se trompe en prenant ma mouche. Je compris trop tard qu'il fallait juste la faire draguer, au moment même où j'entendis Marc crier dans mon dos. Il était là-bas sur la berge, tout près du saule où la grosse truite gobait quelques heures plus tôt. La canne pliée et la soie tendue, il criait de joie parce qu'il tenait un beau poisson qui d'ailleurs, alors que je descendais déjà de mon rocher ,vint me narguer jusque dans mes pieds. Lorsque la truite fut dans l'épuisette, Marc m'expliqua qu'il l'avait trouvée en train de gober comme une gloutonne près du saule et comme il avait été facile de lui poser une sèche sur le nez. Elle était magnifiquement grasse et dépassait de quelques centimètres la barre des cinquante. D'ailleurs, c'est justement lorsqu'on la mesura que j'explosai de colère. C'en était trop ! Je maudissais le ciel, je détestais cette foutue truite, j'exécrais la pêche. Je n'en voulais pas à Marc directement, mais je haïssais sa chance et celle des autres qui en ont par la même occasion.

L'irritation passée, je pleurai à chaudes larmes sur mon sort en retournant au camion. Mon chéri n'osait même plus profiter de son succès. Il tenta de me consoler de son mieux. Je sanglotais une bonne partie de la soirée en considérant que j'étais nulle à la pêche et allai me coucher le cœur très lourd.

Le lendemain, bien fatiguée de tant d'émotions négatives, j'errais tel un fantôme au bord de la rivière. Le niveau de ma motivation était encore au plus bas et malgré les encouragements de Marc, je continuai à me morfondre. Avec un tel état d'esprit, il était inévitable que je n'arrive à rien avec ma canne à pêche et les nerfs à fleur de peau, j'enrageais contre les truites. J'ai tiré une tête de sept mètres de long toute la journée, Marc n'en menait pas large et craignait même de ferrer un poisson sous mes yeux. Le pauvre, il n'était pour rien dans mon malheur et je m'en suis longtemps voulue d'avoir gâché un si beau week-end. Honteuse de ma réaction, je m'en suis excusée de très nombreuses fois et aujourd'hui, nous en rions de bon cœur. Il faut croire que le ciel a entendu ma fureur puisque, à la fin de la semaine suivante, j'ai pris la plus belle truite de ma vie.

Depuis, j'ai retrouvé une certaine sérénité et même s'il m'arrive de craquer encore quelquefois, j'essaie au moins de vite me ressaisir. Dans le pire des cas, je m'arrête de pêcher et un peu de contemplation me permet de me calmer. Lorsque je suis avec Marc et qu'il me voit assise dans un coin, il comprend que cela ne se passe pas comme je veux. Généralement, il essaie alors de me motiver à nouveau et si je refuse de me lever, il sait qu'il vaut mieux me laisser tranquille. Parfois, le guide réussit à me convaincre en me proposant de chercher ensemble un poisson coopératif et je le suis volontiers en m'efforçant de reprendre confiance en moi. Une fois le poisson repéré, la situation devient délicate puisque, si je passe à côté de la réussite, il y a de fortes chances que cela m'agace fortement. Or, Marc est un grand optimiste, il s'oblige à toujours y croire et communique aisément sa persévérance, voire un peu trop comme cette fois où nous étions en Nouvelle-Zélande. Je n'en pouvais plus de voir des truites géantes, mais bien trop farouches dans cette petite rivière à l'eau cristalline malheureusement trop connue. Je commençais à perdre espoir, mais consciente de devoir profiter de chaque instant, je persistais à pêcher. Il faut croire que ma tête en disait long sur mes états d'âme, car Marc m'offrit son aide et sa bonne humeur pour trouver une truite conciliante.

Une fois postée devant un beau poisson, je m'appliquai à suivre ses précieux conseils et lui me félicita d'effectuer de bonnes dérives. La truite ne bougea pas une nageoire et après de nombreux essais, considérant qu'il était certainement inutile d'insister, je décidai d'aller en chercher une autre. Ayant constaté que j'avais retrouvé le sourire, Marc me demanda timidement s'il pouvait tout de même essayer de pêcher cette truite à son tour. J'acquiesçai et n'eus pas le temps de faire dix mètres que le poisson était pendu. Une demi-heure plus tôt, j'aurais pu être contrariée de cette petite provocation, mais ayant récupéré mon sens de l'humour, je revins vers Marc pour partager sa joie.

Il n'y avait plus qu'à repérer une nouvelle fario pour moi et ce fut mon guide qui discerna une forme allongée juste sous une branche, à côté d'un courant. Je n'avais pas complètement retrouvé mon assurance et plaisantai sur le constat que c'était un plan pourri. J'étais persuadée de m'accrocher dans l'arbre, mais après quelques encouragements ,je parvins à faire passer ma nymphe juste au bon endroit. La forme se décala comme par magie, mais je ferrai dans le vide. La truite était revenue à son poste et je tentai plusieurs fois de l'en faire sortir à nouveau. Je changeai de mouche puisqu'elle semblait ne plus en vouloir et la chance semblait même revenir puisque ma nymphe accrocha la branche, mais retomba aussitôt dans l'eau. Malheureusement, à force d'insister, cela fit disparaître le poisson et je dus me résoudre à abandonner. Je m'étais écartée pour passer à autre chose quand Marc avec un ton enjoué m'affirma que la truite était revenue. Je haussai les épaules et comprenant que je n'avais aucune intention de revenir en arrière, il me demanda s'il pouvait alors l'essayer.

J'hésitai quelques secondes puis, avec un immense sourire, je posai ma canne et me rapprochai de lui. Je me baissai pour saisir à deux mains une énorme pierre que je lançai de toutes mes forces sur la tête de la truite. J'éclatai alors de rire et avec un petit air taquin, je conseillai à mon chéri d'être discret dans son approche. Il se moqua de mon sale tour et nous repartîmes la main dans la main, en rigolant de ma farce. J'avouais volontiers que ce n'était pas très fair-play de ma part, mais qu'on évitait ainsi le pire, car s'il avait pris cette truite sous mon nez, en plus de celle d'avant, j'aurais certainement été très vexée. Je voulais bien qu'il me fasse le coup une fois de temps en temps, mais il ne fallait quand même pas exagérer. Je lui assurai toutefois que s'il n'y avait pas eu autant de poissons dans cette rivière, je ne me serais pas permis une si mauvaise blague.

Aujourd'hui, nous nous amusons beaucoup de ces moments de tension au bord de l'eau et heureusement qu'ils sont plutôt rares. Je garde l'exclusivité de mes pires colères pour mon conjoint puisque je sais qu'il m'aime suffisamment pour me pardonner mon sale caractère. J'aurais bien trop peur qu'un copain excédé par ma mauvaise humeur me jette à l'eau. Je compatis aussi volontiers lorsque c'est un autre qui fait sa petite crise de nerfs. Même si ce n'est pas une excuse, cela me rassure de constater que je suis loin d'être la seule à craquer de temps en temps. Je connais d'ailleurs quelques pêcheurs qui, de colère, ont brisé leur canne ou un autre matériel. Et quand c'est Marc qui exceptionnellement s'énerve, je suis presque contente de pouvoir le réconforter et l'encourager à mon tour.

« Détendez-vous, allez à la pêche », telle était la devise d'une célèbre amorce championne du monde. Bizarrement, cet autocollant à l'arrière de mon ancienne voiture m'a souvent fait sourire.

* * *

- V -

Une vie de chien

Je m'appelle Argo, je suis un berger allemand à poils longs. Ma maîtresse Muriel répète à qui veut l'entendre que je suis « un super chien de pêche ». Il faut dire qu'elle m'en a fait voir des rivières et des poissons. Elle m'a emmené plusieurs fois en Slovénie où j'ai failli me noyer dans le bouillon de la haute Socca. J'ai fait un séjour en Bosnie où les gens avaient visiblement une peur bleue des chiens. A l'inverse, en Italie, j'étais une vraie star et partout où on allait, on entendait : « Ma che bello ! Ma che bellissimo ! » En France, je crois que j'ai arpenté presque toutes les rivières de Haute-Savoie, quelques-unes dans les départements voisins et d'autres plus lointaines dans le sud du pays. J'ai pris le bateau jusqu'en Corse où je suis resté accroché quelques fois dans les ronces du maquis. En parlant de bateau, j'ai aussi pris goût aux longues journées de pêche embarquées sur le lac Léman. Je peux rester des heures à ronfler bercé par les vagues. Et j'en ai vu des poissons ! De toutes sortes, de toutes tailles ! De temps en temps, j'ai même le droit d'en manger quelques-uns tout crus, des vairons ou des perchettes. Un régal !
Ma vie est faite de journées entières dans la nature, de grandes balades la plupart du temps au bord de rivières magnifiques, de nuits à la belle étoile dans des lieux sauvages et

d'une bienveillance sans limite de la part de ma maîtresse. Même si elle reste parfois plantée au milieu de la rivière pendant des heures c'est toujours une fête au moment des retrouvailles sur le bord, un moment privilégié de caresses.

Lorsque nous arrivons à la rivière ce matin, il semble que nous soyons les premiers. Pourtant, nous ne sommes pas du genre matinal et il est déjà neuf heures. Mais c'est toujours pareil avec Muriel. Le soir, elle ne veut jamais sortir de l'eau avant la nuit noire. Tant que les gobages claquent et qu'elle n'est pas frigorifiée, elle s'obstine à faire draguer un sedge jusqu'à la dernière chance. Et quand on traverse le champ pour retourner à la voiture, la lampe frontale s'avère indispensable. Ensuite, le temps de rejoindre le campement et d'enlever enfin les waders, il est bien vingt-trois heures. Puis, c'est la quête du bois, car Madame n'envisage pas une soirée parfaite sans faire un feu. Elle choisit d'ailleurs les endroits pour dormir en fonction des branches que l'on pourra brûler. Elle n'a pas son pareil pour tirer des arbres morts et s'il le faut, la scie entre en action. Un vrai petit bûcheron! Par tous temps, elle est capable d'enflammer les branches les plus humides parce qu'il n'y a rien de meilleur que le crépitement du bois et la chaleur des flammes après une longue journée de pêche. Forcément, tout cela prend du temps, d'autant plus qu'il faut aussi manger, car le repas de midi a été largement sauté et compensé par quelques bricoles, histoire de tenir jusqu'au soir. Enfin, on se laisse vivre, on apprécie d'être à l'écart du monde. On écoute le silence en regardant les flammes qui dansent... Et on se couche à point d'heure... Et évidemment, le matin, ça devient compliqué de sortir du duvet au lever du jour. Le temps de faire chauffer de l'eau pour le café, il faut replier le campement en veillant à ne laisser que le foyer du feu comme unique indice de notre passage.

Il faut recharger la voiture et enfiler à nouveau la panoplie du pêcheur. On en profite encore pour apprécier ce petit bout de forêt qui s'éveille avec le chant d'un troglodyte et les coups de bec d'un pic noir qui martèle un vieux sapin à la recherche de larves. Lorsque le soleil pointe à travers les épicéas, il est presque neuf heures. Mais les truites de la rivière d'Ain ne sont pas spécialement matinales sur ce secteur. C'est une bonne excuse pour ne pas se presser.

Une fois au bord de l'eau, Muriel propose de traverser pour descendre la rive d'en face. C'est elle qui décide une fois de plus et je ne fais aucune objection puisque de toute façon, quand elle a quelque chose dans la tête, il est impossible de l'en dissuader. Je peux toujours partir de mon côté, mais j'ai envie de rester avec elle. Lorsque je rentre dans l'eau, je constate qu'elle est vraiment froide. Tant mieux parce qu'en ce mois d'août, les niveaux sont très bas. Il n'a pas plu depuis plusieurs semaines et la température de l'eau reste tout de même le meilleur garant de la santé des poissons. Muriel avance lentement devant moi sur le sentier dessiné par le passage fréquent des pêcheurs. Combien d'hommes ont longé cette rive ? Des centaines et peut-être des milliers depuis de très nombreuses années. Certains comparent même ce chemin à une autoroute. Mais ce matin, il semblerait que nous soyons les seuls à nous y aventurer. D'ailleurs, le soleil n'est pas en avance et n'éclaire pas encore le long radier qui semble désert à cette heure. Muriel marche en silence en veillant à ne pas faire craquer la moindre branche sous ses pieds. Elle s'arrête par moments pour mieux scruter la rivière. Je tiens mes distances pour ne pas lui rentrer dedans et je la suis à pas de loup. Au bout de quelques dizaines de mètres, elle se décide à accélérer puisque seuls de gros ombres sont à leur poste, mais on n'est pas là pour eux.

Quand on arrive enfin à ce gros arbre couché en travers du chemin, le soleil nous a rejoints et ses rayons tant attendus ne vont pas tarder à réveiller le monde sous l'eau. Muriel a enjambé le gros tronc qui barre le passage et reprend une lente progression. Je saute de l'arbre à mon tour et fais maladroitement rouler une pierre jusque dans l'eau. Muriel se retourne et me lance un regard sombre accompagné d'un « Bravo pour la discrétion ! » sur un ton dont j'ai du mal à définir s'il est de l'ordre de la plaisanterie ou de la remontrance. Dans le doute, je préfère ne rien manifester et attends qu'elle retourne à ses poissons.

La voilà qui repart en prospection et soudain, elle stoppe comme un chien d'arrêt (un comble !) en s'accroupissant à moitié. Je comprends qu'elle a vu une truite et étant donné que je viens de me prendre un reproche, je m'arrête à mon tour. Je ne m'approcherai d'elle que si elle m'y invite, car la dernière fois que j'ai fait partir un poisson, je me suis fait incendier. C'est que Madame n'est pas toujours commode et je sens que ce matin on ne rigole pas. Elle vient de se redresser, mais la façon qu'elle a d'avancer au ralenti m'indique qu'elle suit quelque chose et qu'il vaut mieux que je reste discret, alors j'attends...
Muriel s'aplatit dans la végétation et pointe maintenant sa canne en direction de l'eau. Elle tourne la nymphe dans ses doigts pour n'avoir que l'hameçon entre son pouce et son index. Elle tire sur sa pointe afin de bander suffisamment la canne qui enverra la mouche à bonne distance le moment venu. Mais pour l'instant, rien ne bouge et moi encore moins. Quelques minutes passent et Muriel semble s'impatienter ou douter du choix de son poste quand soudain, je la vois se redresser tel un ressort. J'ai tourné la tête quelques secondes et ne l'ai même pas vue ferrer.
Le temps que je comprenne ce qu'il se passe, elle est déjà

perchée sur un tronc d'arbre à moitié immergé. La canne courbée, elle se démène pour empêcher la truite qu'elle vient de piquer d'aller se loger sous ses pieds. Comme il y a enfin de l'action, je me suis rapproché et profite du spectacle que m'offre ma pêcheuse préférée. Elle penche la canne d'un côté, puis de l'autre. La truite se débat comme une forcenée et tente un dernier rush vers les racines. Le combat ne dure pas très longtemps car la truite n'est pas énorme, mais Muriel pousse un petit cri de joie lorsque la jolie zébrée est enfin dans son épuisette. Elle se retourne vers moi les yeux brillants en me montrant cette première prise de la journée.

– T'as vu, mon gros ? C'est qui le chef ?

Elle éclate de rire et enlève délicatement l'hameçon de la gueule de la truite. J'aimerais bien la voir de plus près, mais elle a déjà retrouvé sa liberté. Muriel la regarde joyeusement s'en aller et remonte près de moi. Elle pose sa canne contre un arbre et s'assoit à mes côtés.

– Premier poisson vu, premier poisson pris ! T'as vu un peu comment on fait ?

Je la regarde d'un air interrogatif, car je n'ai pas tout compris. Et alors que j'ai le nez dans la mousse, elle plonge ses doigts dans ma fourrure et me caresse derrière les oreilles. Quel bonheur d'entendre sa voix enjouée me confier que je suis « le meilleur chien du monde ».

Depuis quelques années, ma maîtresse s'est passionnée pour la nymphe à vue et je crois qu'elle affectionne particulièrement la haute rivière d'Ain dans le Jura, car nous y faisons de nombreux séjours. J'y ai pris mes habitudes et je sais d'avance où m'installer confortablement pendant qu'elle fait le héron. D'ailleurs, maintenant, j'évite de me coucher sur le bord des berges en hauteur, car je suis tombé plus d'une fois à l'eau en voulant me retourner. Cela a beaucoup fait rire ma maîtresse, mais j'avoue que j'étais un peu vexé. Pour la peine, j'ai trouvé très drôle le jour où je l'ai vue jeter sa canne et partir en courant parce que j'avais dérangé une colonie de guêpes de terre.

Il y a une chose qui nous amuse tous les deux, c'est lorsqu'un pêcheur tombe nez à nez avec moi par surprise. Je ne suis pas méchant, mais il faut croire que j'impressionne. Je sais que Muriel est donc rassurée par mon effet de dissuasion. Elle peut ainsi partir « pêcher seule » comme elle dit parce qu'au final, je fais partie d'elle, je la suis comme son ombre.

A vrai dire, je crois qu'elle ne m'a jamais fait la trahison d'aller pêcher sans moi ou alors elle s'est bien débrouillée pour me le cacher et m'éviter d'être triste. Je vais avoir dix ans et j'ai acquis une sacrée expérience. J'ai une patience à toute épreuve et je sais rester discret lorsqu'il le faut. Bien sûr, je n'ai pas saisi toutes les subtilités de la nymphe à vue. Je n'ai pas de lunettes polarisantes, alors il m'arrive parfois de faire fuir un poisson sans le faire exprès, mais Muriel ne m'en fait presque jamais le reproche. Sincèrement, je crois que j'ai de la chance de pouvoir faire de longues siestes au bord de l'eau, couché parmi les fougères ou bien sur un coussin de feuilles, le nez dans la mousse ou sur une plage de sable.

Franchement, qui voudrait se plaindre d'une telle vie de chien ?

* * *

- VI -

Quand je parle à l'oreille des truites

Certains l'aiment meunière, moi je préfère la savoir planquée sous une pierre. D'autres l'aromatisent avec du citron, moi je la relâche avec affection. Je reconnais volontiers mon sentimentalisme envers les truites, mais je ne saurais précisément l'expliquer. Peut-être est-ce le fait que je passe l'essentiel de ma saison à les traquer à vue depuis quelques années, ce qui m'a permis de me familiariser avec elles.

Les farios autochtones des rivières franc-comtoises sont mes préférées. Sans doute parce que je sais que leur milieu est fragilisé par les diverses pollutions humaines et que leur survie ne tient qu'à un fil. Il est donc hors de question que ce fil soit mon nylon. Alors, je m'applique chaque fois à leur rendre leur liberté dans les meilleures conditions. Il n'en a pas toujours été ainsi et il m'est arrivé de garder un ou deux poissons pour les manger, mais il n'a jamais été question d'en remplir le congélateur. Le poisson était généralement mangé le jour même pour en apprécier la fraîcheur.

Jusqu'au soir où, ayant gardé une truite attrapée in extremis à la tombée de la nuit, pour accompagner celle de mon chéri afin que nous en ayons chacun une au bivouac, je la regardais le cœur empli de remords se tordre sur la grille. Lorsqu'elle fut dans mon assiette, alors que je me mis à l'imaginer encore en train de gober près du saule à peine deux heures plus tôt, je ne pus m'empêcher de m'en vouloir. Qui étais-je donc pour décider de la mort de ce poisson ? La vie d'une truite avait donc si peu d'importance ? Mon plaisir de la manger était-il à la hauteur de celui qu'elle m'avait procuré en prenant ma mouche ? Certainement pas, car même si je me forçais à finir mon assiette comme dernière marque de respect, chaque bouchée augmentait ma culpabilité. Cette truite ne goberait plus et je n'aurai plus jamais le plaisir de la revoir. J'avais enlevé un trésor à la rivière... Sans le vouloir, j'en dégoûtais aussi Marc autant que moi et depuis ce jour-là, nous n'avons plus gardé de truite autochtone.

Je ne jette pas la pierre à ceux qui prélèvent du poisson, tant qu'ils les tuent avec tout le respect qu'il se doit. Je les encourage juste à prendre en compte l'état de santé du milieu où ils le font. Je les invite à considérer qu'ils ne sont peut-être pas les seuls et que s'ils sont nombreux à prélever un seul poisson chacun, sur une rivière fragile où la population piscicole à tendance à décroître, il ne faudra alors pas s'étonner dans les années à venir de ne plus rien attraper. Bien sûr, on pourra toujours lâcher des poissons d'élevage, mais la pêche y perdra certainement de son charme et de sa noblesse.

Pour ma part, je prends autant de plaisir à leurrer un poisson sauvage qu'à le relâcher, aussi grand soit-il. Je le regarde avec bonheur repartir vers sa liberté en espérant qu'il se reproduira et me donnera – pourquoi pas ? – une nouvelle chance de l'attraper après avoir encore grossi. Je me souviens d'une fois où j'étais cachée sous un saule pendant que sur la rive opposée, un pêcheur heureux de la prise qu'il venait de faire s'exclama qu'il la gardait parce qu'elle était trop belle. Je me mordis la langue pour ne pas lui crier que morte, elle allait forcément moins l'être. Un peu plus tard, je croisai ces deux « moucheurs » sur ma berge et nous échangeâmes quelques mots sur nos prouesses respectives. Celui que j'avais entendu se réjouir quelques heures plus tôt ne put s'empêcher de sortir un sac plastique pour me montrer son trophée avec fierté. Devant cette zébrée déjà toute blanche qui, en plus, n'était pas un trophée, je me sentis obligée d'avouer avec insolence que la vue d'une truite morte me déplaisait.

Je lui suggérai qu'elle aurait été encore plus belle l'année suivante et pourtant moins que celle d'après. Le gars remit le poisson dans son dos, décontenancé par ma réplique. Si ce pêcheur m'avait simplement dit avoir gardé une truite sans me la faire voir, je me serais retenue d'être désagréable, mais je suis incapable de m'extasier devant un cadavre et je ne supporte pas qu'on m'incite à le faire. Je m'excusai à peine de mon attitude et nous discutâmes longuement de l'intérêt de pratiquer le « no-kill » sur certaines rivières et particulièrement celle-ci. Je reconnaissais combien j'étais très attachée à nos compagnes de jeu puis, au moment de partir, quand je leur demandai d'être dorénavant gentils avec mes copines, les deux pêcheurs sourirent. Celui qui avait une bosse dans le dos de son gilet me fit un clin d'œil d'un air convaincu. Je ne peux qu'espérer qu'il le fut vraiment...

Parfois, quand je fais allusion à mes amies francomtoises, les zébrées, on me fait justement remarquer que je fais de l'anthropomorphisme. Et alors ? Cela me plaît de leur prêter de la malice. Je sais bien qu'au fond il n'en est rien, que les truites n'ont pas de disposition à taquiner, et pourtant le résultat est qu'elles m'agacent de temps en temps. Elles ne le font pas exprès, du moins pas dans le sens où je m'amuse à l'imaginer, mais quand elles s'écartent tranquillement à la présentation de ma mouche et reviennent à leur poste aussitôt l'imitation passée, il y a bien de quoi m'énerver et leur prêter quelques qualités. Et plus elles sont malignes, plus je m'obstine. Je m'entête à essayer de les convaincre de plusieurs manières différentes.

J'en arrive à leur parler, à les encourager à prendre ma nymphe, à les supplier parfois de me faire plaisir, à leur insinuer que si j'étais à leur place, je ne résisterais pas davantage à une si belle offrande. Je les incite à me faire confiance et tente de les rassurer en leur promettant qu'aucun mal ne leur sera fait. Finalement, quand rien n'aboutit, après quelques reproches, je finis par leur dire des petits noms d'oiseaux qui se terminent en « asse ». Et certaines d'entre elles, indignées ou vexées, vont se cacher. Les autres, bien trop fières, feignent de m'ignorer, mais je ne suis pas dupe, je sais bien que j'ai piqué leur estime, faute de les piquer tout court. Et si j'abandonne la partie, il est alors plus facile de sous-entendre qu'elles sont bel et bien hypocrites. A ces truites trop fourbes, je préfère encore la franchise des plus farouches. Ces dernières me font tout de suite comprendre mes erreurs. Une approche manquée et elles s'enfuient, une mauvaise dérive et elles disparaissent. La sanction est immédiate et leur sincérité a au moins le mérite de ne pas me faire perdre mon temps.

Il y a aussi les farceuses qui surgissent sans prévenir. Elles ont le chic pour se montrer quand je ne m'y attends le moins, au point que je les gronde pour m'avoir fait sursauter. Celles-ci sont souvent impatientes et si je ne suis pas prête pour leur proposer une mouche, j'ai beau leur demander d'attendre un peu, elles sont toujours trop pressées de s'en aller. Il y a même des comiques que l'on voit habituellement posées sur le fond et que les pêcheurs surnomment « dormeuses » ou « dormants ». Elles prennent une drôle de teinte comme un effet de mimétisme et semblent roupiller.

Elles ne dorment généralement que d'un œil et sont prêtes à se jeter sur une larve ou un alevin qui passerait trop près. Elles me font sourire parce qu'elles se croient invisibles et pourtant on les repère de très loin. J'ai essayé de leur faire croire en approchant d'un pas nonchalant que je ne les avais pas vues, mais leur sens de l'humour semble s'arrêter là où ma nymphe touche l'eau.

Une fois, j'ai même tenté d'en tromper une en faisant moi aussi semblant de dormir, mais j'ai fini par m'assoupir et à mon réveil, elle n'était plus là.

En fait, j'en arrive à me demander si ce ne sont pas plutôt les truites qui finissent par se moquer de moi. Elles doivent bien rire de mes ruses manquées et de mes longs discours. Quoi qu'il en soit, toutes les occasions sont bonnes pour leur adresser la parole. Je ne peux m'empêcher de les féliciter et de les remercier quand elles acceptent de se glisser dans mon épuisette. Je flatte leur beauté en leur recommandant de ne pas bouger le temps d'une photo ou que je les décroche. Je les informe de la chance qu'elles ont de tomber sur moi et leur donne quelques conseils pour éviter de plus mauvaises rencontres. Quand je les relâche en leur disant « au revoir » ou « à bientôt », même si elles repartent sans piper mot, je suis certaine qu'elles me sont reconnaissantes de leur rendre la liberté.

Tant pis si les gens me prennent pour une folle, je crois savoir que je ne suis pas la seule, car nombreux sont les pêcheurs qui parlent aux poissons. Ils ne le font pas souvent avec autant de gentillesse et se gardent surtout d'avouer leurs apartés. Pour ma part, tant qu'il y aura des truites, je ne cesserai de chuchoter à leurs ouïes combien je les aime.

* * *

- VII -

L'ombre à une main

– Dites monsieur, ce serait possible que je ne vienne pas travailler cet après-midi pour aller à la pêche ?
Le directeur, surpris de mon audace, m'a demandé si j'étais à jour dans mon boulot, mais j'avais prévu mon coup. J'avais bossé comme une dingue pour envoyer mes pièces chez le sous-traitant et j'étais largement en avance sur les commandes. Devant mon grand sourire et ma franchise, il m'a donc autorisée à prendre ma demi-journée. J'ai englouti un sandwich avant de prendre le volant et pris la route en direction de la Savoie, un peu excitée. Voire même un peu trop selon les gendarmes qui m'ont arrêtée juste avant Albertville pour excès de vitesse. L'un d'eux a voulu savoir ce qui m'avait poussée à rouler si vite.
– Ben, j'vais à la pêche !
Je lui ai alors montré fièrement ma canne à mouche à laquelle j'avais mis la ceinture de sécurité sur le siège passager. Le gendarme a trouvé cela amusant, mais pas assez pour m'éviter une amende et je suis repartie allégée d'une centaine d'euros. Il en fallait plus pour entamer ma bonne humeur, mais j'ai tout de même levé le pied en pensant que les ombres n'allaient pas s'envoler.

Lorsque je suis arrivée enfin au bord de la Bialle, j'ai découvert avec bonheur qu'il n'y avait pas d'autre voiture garée au pont. J'ai jeté un coup d'œil à la rivière qui, comme la plupart du temps, était d'une limpidité parfaite. Bizarrement, alors que j'avais été si impatiente d'arriver je prenais maintenant mon temps pour m'équiper. Je me suis même servi un café que j'ai savouré en appréciant le calme des lieux. La Bialle est une toute petite rivière de plaine que j'aime comparer à la Sorgue en miniature, à cause de ses jolis herbiers. Sur sa partie amont, un chemin carrossable borde la forêt en longeant de près la rive gauche et la pêche ressemble alors à une promenade. En aval du pont où je me trouvais, l'affaire se complique. Un passage de pêcheurs s'enfonce à travers le bois et les ronces. Ici, c'est un peu plus le parcours du combattant et il n'y a guère d'autre solution que de pêcher à l'arbalète. Puisque j'étais seule sur le secteur, j'ai choisi la facilité et après m'être soigneusement aspergée d'huiles essentielles pour éloigner les moustiques, j'ai décidé de remonter la rivière.

Le jour où j'ai découvert la Bialle, j'ai été épatée de voir de si beaux ombres dans une si petite rivière. Ayant depuis arpenté de nombreuses fois ses berges, je connaissais très bien les postes à prospecter. Je n'avais que quelques mètres à faire pour apercevoir le premier ombre. Le poisson, d'une quarantaine de centimètres, devait attendre ma nymphe avec impatience, car il se jeta dessus sans rechigner. Ça commençait bien ! Peut-être trop bien, car je ne réussis pas à en prendre un autre avant un bon moment.

Ce n'était pas faute d'insister : je restais parfois une bonne demi-heure à m'obstiner sur un poisson. Je l'implorais d'être moins têtu que moi en lui laissant largement le choix de la nymphe (j'ai changé de mouche autant de fois que j'en avais dans ma boîte). Tout y est passé, jusqu'aux modèles les plus farfelus. J'avais monté des trucs tout à fait bizarres exprès pour eux. Il y en avait pour tous les goûts et de toutes les couleurs. « Tu veux du rose ? du brillant ? à moins que tu ne préfères une bille blanche ? » Le moins qu'on puisse dire, c'est que je leur proposais un menu éclectique. Mais à part voir leurs yeux bouger devant mes nymphes, j'en arrivais à me demander si ces satanés poissons n'avaient pas fini par mal le prendre. J'admettais que j'avais peut-être un peu abusé devant mon étau et je me moquais à voix basse de tant de créativité.

Ces ombres devaient croire que je les prenais pour des idiots. Certains se décalaient pour éviter mes mouches avec ce que j'interprétais comme du mépris. D'autres s'enfuyaient carrément à la vue de la nymphe. Je ne pouvais m'empêcher de rire en imaginant que ceux-là étaient horrifiés. Ne tenant pas à traumatiser davantage ces pauvres poissons, je décidai de revenir à des modèles plus classiques. Je cherchai alors une imitation de quelque chose d'existant et non pas un alien sorti d'un film de science-fiction.

Je pris le temps de fouiller dans le désordre de ma boîte et je finis par en extraire le gammare que m'avait donné Nicolas Germain. Je l'avais croisé le dimanche précédent, juste avant de quitter sa rivière et il m'avait dit, en confidence, son intention de commercialiser ses mouches. En tant qu'ami et peut-être aussi pour prospecter une future cliente, il m'avait offert deux ou trois modèles différents, dont la fameuse crevette. C'était une bonne occasion pour tester cet aimant à truites même si j'avais affaire à des ombres particulièrement récalcitrants.

Quelques heures s'étaient écoulées, j'avais remonté un bout de la rivière et me retrouvais avec le soleil dans le dos. Il était presque déjà trop tard pour rebrousser chemin et mon enthousiasme de l'arrivée en avait pris un coup. D'ailleurs, je n'avais aucune envie d'aller affronter les

ronces en aval. Je choisis de m'adapter à ce handicap sup-
plémentaire que constituait cette lumière mal placée (pour
les poissons, j'étais sous les projecteurs). Et je m'aplatis encore plus vite que d'habitude à la vue d'un très bel ombre.
Il n'y avait aucune végétation pour me cacher et j'abandonnai l'idée de le tenter à l'arbalète. Avec une pointe du double de la longueur de la canne, je parvins tant bien que mal
à lancer mon gammare. Le poisson avait détourné la tête
faisant remonter d'un seul coup mes chances de réussite. Au
deuxième passage, l'ombre avait semblé esquisser un mouvement d'hésitation. J'étais certaine de l'avoir à la prochaine
tentative. La confiance retrouvée, je lançai ma crevette avec
brio… dans l'arbuste sur la rive opposée.
– Oh non ! Quelle nulle !
Je tentai désespérément de me décrocher en secouant la
canne, mais il n'y avait à faire. Je me retrouvais face à un
dilemme. D'une part je pouvais traverser pour récupérer ma
nymphe, mais j'allais effrayer mon beau poisson. D'autre
part je pouvais tenter de tirer sur ma ligne d'un coup sec au
risque de perdre mon seul et unique gammare. Je décidai
finalement de rester discrète en coupant à une bonne longueur de ma crevette dans l'idée d'aller la cueillir après
avoir pris l'ombre avec une autre mouche. Plutôt satisfaite
de ma stratégie, je présentai une nouvelle imitation à mon
poisson qui se montra d'un seul coup bien moins coopératif.
Le petit saligaud ! Il ne voulait pas de mes mouches et semblait définitivement calé. N'ayant plus envie de m'amuser à
lui dévoiler tout le contenu de ma boîte, j'en conclus qu'il
m'avait repérée.
Je déteste abandonner ! Tant qu'un poisson reste sous mes
yeux, je m'entête encore et encore mais là, c'en était assez.
J'avais eu ma dose de désillusion et je déposai ma canne.
Je remontai pour rentrer dans l'eau et aller récupérer mon
précieux gammare. Comme pour me narguer jusqu'au bout,

le gros ombre n'avait même pas daigné s'enfuir alors que j'étais maintenant à quelques pas de lui. Quel culot ! Alors que je le regardais profondément agacée, je le vis même s'activer dans le remous créé par mes jambes. Allez savoir pourquoi, je laissai descendre dans le courant ma crevette encore attachée au long bout de nylon que je tenais à la main. J'étais juste dans l'axe du poisson qui se décala soudainement et, prise d'un doute, je ferrai. Enfin, je fis un truc d'un genre nouveau puisque je n'avais pas de canne. L'ombre se remit à sa place et persuadée que je l'avais loupé, je recommençai mon numéro. Ce coup-ci, j'augmentai la rapidité et l'amplitude de mon geste, et l'ombre suivit, prit la nymphe et commença de se débattre à l'autre bout du nylon.
– Oh, purée ! Je l'ai !
N'ayant pas les bras élastiques, il n'y avait plus qu'à espérer que la pointe en douze centièmes résiste aux coups de tête du poisson. Complètement affolée, je pataugeais à travers les herbiers en raccourcissant petit à petit le fil jusqu'à ce que je réussisse à épuiser le bel ombre. Je regardais alors aux alentours, inquiète que quelqu'un m'ait vu et qu'on m'accuse de braconnage. J'admirai rapidement le superbe étendard rougeoyant de ce poisson qui approchait les cinquante centimètres. Puis, je lui rendis sa liberté. Et lui, peut-être pour me remercier, resta quelques minutes devant moi, sa dorsale majestueuse déployée dans un dernier rayon de soleil.

C'était tellement absurde que j'explosai de rire. Puis, assise dans l'herbe, hébétée, je regardai la rivière en pensant aux nombreuses fois où ces satanés ombres avaient abusé de ma patience. A combien de reprises les avais-je accusés de se moquer de moi ? Ils avaient le don de me provoquer mieux que n'importe quel autre poisson pour me pousser jusqu'à la limite de mon obstination. Je me mis à m'exclamer toute seule.

– Non, mais alors ça, c'est la meilleure !

Je n'en revenais décidément pas d'avoir pris cet ombre presque dans mes pieds, le fil à la main. J'avais passé une bonne partie de l'après-midi à encaisser des échecs et sur un coup complètement saugrenu, je venais de prendre l'un des plus gros ombres de ma vie. S'il y avait certaines règles à suivre à la pêche, je venais de trouver une exception qui m'avait valu la prise d'un beau poisson.

J'attachais le gammare de Nicolas à la pointe de ma canne. La pêche au fil m'avait fortement épatée, mais je préférais revenir à une technique plus conventionnelle. Une question me tracassait. Et si c'était cette crevette qui était tout simplement irrésistible ? Je voulais en avoir le cœur net et revins sur mes pas. Je retrouvai un ombre qui m'avait usé les nerfs une heure auparavant. Au premier passage du gammare, il était pendu et j'étais désormais persuadée d'avoir en ma possession une arme redoutable.

Je pris un autre poisson, puis me cassai les dents sur les suivants. Cette crevette n'était donc pas totalement persuasive. Même si elle avait prouvé son efficacité, je devais me faire une raison, la mouche fatale n'existe pas. En tout cas, elle attrapait bien les arbres, car je finis par la perdre définitivement dans une branche.

Il commençait à se faire tard. Je décidai de plier la canne pour ne pas être tentée de traumatiser un poisson de plus avec une de mes nymphes de carnaval. Je redescendis tranquillement vers la voiture en pensant à mon drôle d'exploit. Je me marrais d'avance en imaginant la tête des copains quand je leur raconterai cette histoire. Ça ne faisait pas l'ombre d'un doute, ils n'allaient pas me croire !

* * *

- VIII -

La carpe à la mouche

Je tournais en rond depuis deux longues journées à la maison après avoir écourté mon séjour en Franche-Comté où normalement, mon chéri devait me rejoindre pour que nous passions la dernière semaine de vacances du mois d'août ensemble. J'avais jonglé une dizaine de jours entre le Doubs et le Jura pour trouver de l'eau claire en contournant les orages, mais ceux-ci m'avaient finalement rattrapée aux alentours de la Haute Rivière d'Ain. Après une nuit rythmée par une pluie soutenue et incessante, je ne fus pas surprise au matin de découvrir des rivières couleur chocolat. Il faudrait plusieurs jours avant d'espérer voir une truite.
J'abandonnai là mes projets de nymphe à vue et rentrai à la maison. Une fois chez moi, je surveillai les niveaux hydrologiques qui ne cessaient de monter et la météo qui ne présageait rien de meilleur pour les jours à venir. Marc allait être enfin disponible et je ne tenais plus en place, il fallait donc trouver une solution.
J'étudiai les prévisions du temps sur l'ensemble de la France. Un mince espoir se dessinait du côté de l'Aveyron. L'idée de retourner pêcher le Tarn ne mit pas longtemps à germer dans mon esprit, d'autant plus que j'avais quelques comptes à régler avec les carpes de Millau. Je n'eus aucun mal à

convaincre Marc d'échanger nos plans au pays de la cancoillotte et du comté au profit de l'aligot et du roquefort. Le camion fut chargé et prêt en quelques heures et nous étions ravis de ce changement de programme.

Pour y être allés déjà deux fois, nous connaissions parfaitement notre destination et n'avions même pas à nous soucier de la logistique. Dès notre arrivée en début de soirée, nous nous sommes rendus directement sur un secteur que nous avions repéré au mois de juin. En grinçant sous les ronces qui frottaient la carrosserie, le camion descendit doucement le chemin cabossé qui amène sous des peupliers, tout près d'un lac alimenté par un petit bras de la rivière. Comme des gamins impatients, nous sautâmes dans nos waders en évoquant les souvenirs comiques d'une nuit passée ici avec notre meilleur copain. Les cannes accrochées au plafond du fourgon étaient déjà montées et en quelques minutes, nous fûmes prêts à passer à l'action. Nous longeâmes le petit lac où nous avions vu des carpes et c'est alors que le cri d'un martin-pêcheur attira mon attention.

L'oiseau vint se poser à quelques mètres à peine, sur une branche au-dessus de l'eau. Trop contente d'une telle aubaine, je décidai de rester là pour observer le petit oiseau bleu et laissai Marc partir vers la rivière. Le martin ne semblait pas dérangé par ma présence et je n'en revenais pas d'une telle chance. Accroupie dans l'herbe haute, je contemplais le piaf qui oscillait sa tête de droite à gauche. Je savais bien ce qu'il préparait et je ne fus presque pas surprise de le voir plonger. L'éclair bleu surgit de l'eau avec un alevin dans le bec et s'envola de l'autre côté de la rivière. J'étais émerveillée par la scène à laquelle je venais d'assister et sur le point de me redresser quand le piaillement de l'oiseau se fit entendre à nouveau.

L'oiseau turquoise revint plusieurs fois sur son perchoir et je savourai pendant presque une heure le spectacle de ses plongeons. Sans doute rassasié ou peut-être à cause de la lumière qui avait baissé, il cessa ses allées et venues et je partis à la recherche de Marc empressée de lui raconter mon bonheur. Je le retrouvais rapidement en train de scruter l'eau, légèrement désappointé. Il n'y avait presque pas de mouches et donc très peu de gobages. Les rares ronds qui se dessinaient à la surface étaient beaucoup trop loin et le coup du soir s'annonçait maigre.

Nous avons alors décidé de longer la bordure où nous avions vu de si jolies truites au mois de juin, mais il fallut nous contenter de quelques chevesnes pour ouvrir le score juste avant la nuit. De retour au camion, nous avons installé notre camp et un beau feu ne tarda pas à nous éclairer. Enfin, nous avions la réelle impression d'être arrivés. Depuis le matin, nous n'avions pas arrêté de nous affairer, de nous presser et même ce moment de pêche un peu précipité n'avait pas réussi à calmer notre impatience. Nous pouvions nous poser, apprécier une bière levée à nos vacances avec une symphonie des grenouilles comme musique d'ambiance. Et mettre au point notre planning pour les jours suivants, persuadés que le meilleur était à venir.

Pour ma part, le but de ce séjour était avant tout de piquer quelques carpes à la mouche et je fus bien déçue de ne pas les retrouver sur un secteur où elles pullulaient trois mois auparavant. Les herbiers avaient envahi toute cette zone et il aurait été de toute manière impossible d'en sortir une dans une telle jungle. Nous eûmes ainsi plusieurs déconvenues avant de retourner sur le parcours no-kill, quelques kilomètres en aval du magnifique village de Peyre qui paraît escalader le rocher sur lequel il est bâti. Dès notre arrivée au bord de l'eau, le paon de la ferme voisine nous rappela sa présence en braillant son si caractéristique « Léon ! Léon ! » et je ne pus m'empêcher d'essayer de l'imiter en rigolant.

Au bout d'une heure, j'aurais bien étranglé cette espèce de pintade croisée avec un faisan endimanché qui nous saoulait de sa rengaine. Heureusement, la vue d'un groupe de carpes me fit vite oublier l'oiseau criard et je me concentrai déjà sur mon objectif. Elles étaient une dizaine à fouiller près du bord et j'étais presque assurée de ma réussite. J'approchai à bonne distance pour envoyer mon imitation d'écrevisse avec le plus de discrétion possible. Jusqu'ici tout se passait à merveille, j'avais avancé en rampant sur les fesses derrière des herbes hautes et aucun des poissons ne semblait se méfier. Je suivis la descente de mon streamer et dès qu'il toucha le fond, je le ramenai par petites saccades à proximité d'une des plus grosses carpes. Tant qu'à faire, puisque j'avais le choix, j'en avais sélectionné une belle. Celle-ci, bien trop occupée à brasser la vase, ne remarqua pas qu'un danger se rapprochait et lorsqu'elle releva la tête, je décollai l'écrevisse devant son nez. Je vis alors ses yeux comme s'écarquiller devant la belle surprise et sa grosse bouche s'allonger pour aspirer le crustacé dans la foulée. Je ferrai en criant pour prévenir Marc et aussi parce que la montée d'adrénaline était telle qu'il fallait que je crie ma joie.

La carpe secoua la tête quelques secondes et démarra en trombe. Elle fonça droit devant et traversa un herbier qui ne la ralentit pas. Mon fil résista à ce mauvais tour et j'étais déjà aux anges en voyant se dérouler mon backing. La belle avait presque traversé la rivière pourtant très large et semblait maintenant décidée à remonter jusqu'à Millau. Mon frein chantait, moi je criais toujours gaiement, Marc riait aux éclats et on n'entendait plus du tout « Léon ! Léon ! » Tout cela était très drôle, mais je réalisai tout de même que mon moulin n'était pas sans fin et au vu des accélérations que mettait encore cette furie, il devenait nécessaire que je tente quelque chose avant le drame. Je sortis alors de l'anse où j'étais pour me placer à la pointe de la rive et bloquai la bobine. Ma ligne ressemblait à un élastique au bout duquel la carpe luttait avec acharnement pour avancer. Elle dut se résoudre à faire demi-tour et je m'efforçai de mouliner aussi vite qu'elle redescendait pour garder ma ligne tendue. La belle commune tenta de foncer à nouveau dans l'herbier mais cette fois-ci, j'étais mieux placée et profitai de mon avantage pour la déséquilibrer et la forcer à venir dans ma direction. Elle commençait à fatiguer, je pouvais me permettre de la brider plus sérieusement. Elle glissa enfin dans ma grande épuisette. J'avais géré la fin du combat avec calme malgré la peur de perdre ce beau poisson ambré et je pus donc enfin pousser à nouveau mon cri de victoire. J'enlevai rapidement l'écrevisse de la bouche tendre de ma belle dorée et une fois que Marc fut prêt pour immortaliser cette jolie prise, je la soulevai de l'épuisette. Elle me glissa des mains et avec une éclaboussure très réussie me laissa seule et trempée pour la photo souvenir. Ce fut encore une bonne excuse pour éclater de rire et tant pis pour l'album !

De toute façon, ces photos avec un poisson dans les mains ne sont généralement qu'un prétexte pour montrer aux autres sa propre réussite. Je reconnais qu'il est plaisant d'être félicité pour une jolie prise et certains vont même jusqu'à s'exposer avec un trophée pris sur un coup de ligne minable, en braconnant dans une réserve ou même avec un vieux poisson trouvé agonisant. Ceux-là ont certainement un gros problème d'ego et à moins qu'ils ne finissent par croire à leurs propres mensonges, ils doivent être bien malheureux de ne tromper que les autres. L'image ne raconte pas l'intensité des émotions et c'est pourtant bien là le principal. Elle n'est que le résumé trop court d'une histoire et je préfère de loin mes souvenirs qui, parfois, me troublent encore malgré le temps passé.

Comme cette autre carpe qui me fait encore sourire aujourd'hui parce qu'elle m'avait fait un rush si foudroyant que mon moulin s'en était emballé. Alors qu'elle était déjà loin, tout comme Marc qui ne pourrait donc m'aider, je constatai que le backing ne sortait plus et en y regardant de plus près je compris que j'avais un gros problème. Il y avait une boucle autour du bâti du moulinet et je n'avais d'autre choix que de démonter la bobine pour libérer la tresse et remettre de l'ordre dans tout ça. La « furie blonde » tirait comme une forcenée pendant que j'enlevais tant bien que mal la vis du frein. Tandis qu'elle secouait ma canne de tous ses muscles je réussis à ôter la bobine. Peut-être qu'une photo à ce moment-là aurait tout de même bien décrit ma situation critique puisque j'avais la canne cintrée au maximum dans la main droite, la bobine dans la main gauche et la vis du frein entre les lèvres. Je ne pouvais même pas rire de ce sketch, de peur de perdre la précieuse vis, mais au fond de moi toutes sortes de vagues désopilantes se bousculaient. Je réussis finalement à remonter mon moulinet et le poisson par la même occasion. Celui-ci approchait les dix kilos et j'eus énormément de difficultés à le tracter jusqu'à moi. Il y avait du courant et si ma belle sauvage était à bout de forces, je l'étais moi aussi. Après plusieurs tentatives, je parvins finalement à l'épuiser et pus enfin apprécier le sketch comique dont j'avais été l'héroïne involontaire.

Le combat d'une carpe commune n'a justement rien de banal et je ne me lasserai jamais du plaisir éprouvé lorsque j'en tiens une avec ma canne à mouche. C'est sans aucun doute le poisson d'eau douce qui fait monter au plus haut mon adrénaline. J'avais été profondément marquée la toute première fois où j'avais piqué une carpe en pêchant à l'anglaise et le jour où j'en pris une avec une canne à mouche, cela m'avait tout simplement retourné le cerveau.

Il y avait de quoi parce qu'avec une neuf pieds, soie de cinq et une pointe en quatorze centièmes, j'avais eu mon compte de sensations fortes et sans doute un peu de chance aussi. Bien évidemment, je me régale de traquer ces poissons à vue et j'ai vite découvert qu'ils sont bien plus difficiles à leurrer que je ne le supposais au début. J'aime leur méfiance à la hauteur de leur puissance. Je m'amuse donc d'autant plus à tenter de les approcher le long des bordures pour les pêcher à l'arbalète. Je crois que rien ne m'enthousiasme plus que d'en piquer une sous la canne car c'est à chaque fois une bonne occasion pour dérouler le backing.

Je passais d'ailleurs le reste du séjour focalisée sur ce poisson et je pris tout autant de plaisir lorsque ce fut le tour de Marc de se retrouver attelé à une jolie carpe sauvage. Suite à un ferrage appuyé, la torpille s'enfonça directement dans un herbier très long, trop long. Sans doute rassurée de se mettre à l'abri, elle mit une telle accélération que nous pensâmes d'abord qu'elle avait cassé, mais Marc, bien que déçu, se réjouit tout de même de ramener sa mouche et une bonne brassée d'herbes pour la soupe. Nous plaisantâmes sur le sprint final de la « furie blonde » puisque de toute façon, lorsqu'on se frotte à une carpe, on doit forcément s'attendre à ce genre de conclusion.

A la fin des vacances, nous prîmes la route du retour avec un sentiment de joyeuse satisfaction. Je suppose que de leur côté, les carpes n'étaient pas mécontentes de nous voir partir, mais puisque nos rivières de Haute-Savoie sont essentiellement peuplées de truites, il est certain que nous retournerons traquer les belles dorées dans des eaux plus chaudes. Et pourquoi pas du côté de Millau afin de rendre une petite visite à ce cher « Léon, Léon ».

* * *

- IX -

En sèche... ou presque

Quand j'étais entrée dans l'usine ce matin-là, je n'avais qu'une envie, c'était d'en ressortir. Le bruit des machines me semblait encore plus assourdissant que d'habitude. Je me dépêchai de monter dans la pièce où je travaille à l'écart et trouvai heureusement un peu de calme après avoir salué quelques collègues au passage avec un sourire forcé. Dans l'atelier, les filles se racontaient leurs vacances, mais je n'avais pas envie de discuter. Je m'éclipsai dans mon bureau et me mis au boulot. Je pris un carton de pièces à ébavurer et m'installai devant ma loupe binoculaire. Après une dizaine d'années à fignoler ces vis médicales, je retrouvais vite les habitudes. Je répétais les mêmes gestes avec concentration et précision. Même après trois semaines de vacances, j'avais presque l'impression d'avoir été assise à cette table la veille. Et pourtant, pendant mes congés, j'avais largement oublié l'usine. Je l'avais même immédiatement zappée dès que j'avais passé le portail le vendredi à midi pour foncer charger la voiture pour partir en Franche-Comté.

Depuis ce jour, j'avais vadrouillé au gré de la Loue et de la haute rivière d'Ain (la HRA). J'avais passé la semaine du milieu avec Marc et ses jeunes stagiaires du côté d'Ornans. Des copains m'avaient rejointe quelques jours et j'étais restée seule avec mon chien le reste du temps. Je ne m'étais pas ennuyée et même si la pêche en ce mois d'août était parfois compliquée, j'avais pleinement apprécié de vivre au jour le jour et sans contraintes. J'avais jonglé avec quelques orages en remerciant le ciel de remettre juste ce qu'il fallait d'eau dans la rivière. J'avais même eu la chance de voir Nicolas Germain qui m'avait encore épatée par sa maîtrise de la nymphe à vue. C'est à chaque fois un grand plaisir de passer un moment avec mon ami que je surnomme le « gardien de la HRA ». L'amour qu'il porte à sa rivière n'est plus un secret pour personne et je suis rassurée de savoir qu'il veille sur la belle.

Ce lundi matin, en m'appliquant avec mon grattoir, je pensais aux réveils dans la forêt avec le chant des oiseaux. Je songeais à ces chamois qui s'étaient volontiers laissés approcher. De vraies chèvres ! Je revoyais toutes ces truites fabuleuses dans le filet de mon épuisette. Et puis, les autres, les plus grosses, que je n'avais pas réussi à attraper. J'essayais de me concentrer sur mes pièces pendant que des centaines d'images défilaient dans ma tête. Mon esprit s'évadait tandis que mes doigts faisaient machinalement leur travail et j'avais la douce impression d'être toujours dans le Jura.

Il faut dire que la veille, j'avais encore fait trempette au milieu de la rivière jusqu'à la nuit. Marc m'avait retrouvée du côté de Champagnole et nous avions fait le coup du soir ensemble sur mon spot de prédilection. A notre arrivée au bord de l'eau, quelques gobages nous avaient promis une belle soirée. Mon chéri avait préféré continuer à pêcher en nymphe à vue puisque la lumière le permettait encore. Après un temps d'observation, je m'étais positionnée de façon à pouvoir attaquer plusieurs poissons sans trop bouger. Les ronds à la surface étaient discrets et je choisissais un petit spent dans ma boîte. Après une longue journée à pêcher essentiellement en nymphe, je retrouvais le plaisir de la pêche en sèche. Quel bonheur de fouetter, sentir la canne se courber au rythme de la soie qui danse. J'aime voir le bas de ligne se dérouler pour déposer la mouche avec légèreté sur l'onde. Elle transporte avec elle mon espoir qu'un poisson déchire la surface pour s'en emparer.

Un peu plus loin en amont, Marc se retournait de temps en temps pour me regarder. Il appréciait ma silhouette et mes gestes dans le soleil couchant. Il paraîtrait que je suis sexy dans mes waders et que mes courbes s'harmonisent avec les arabesques de la soie. J'avoue avoir été flattée par le compliment d'un homme qui disait avoir été marqué pour toujours lorsqu'il m'avait vue : « Un petit brin de femme au milieu de la rivière, juste magique ! » C'est vrai que la pêche à la mouche offre une image pleine de grâce et qui mieux qu'une femme peut rajouter de la délicatesse à la beauté du geste ? J'aime l'idée de séduire les poissons avec mes mouches et pourquoi pas les hommes avec ma sensibilité et mes qualités féminines. Et même si je me considère parfois comme un garçon manqué à ramper sous les saules ou à tripoter toutes sortes de bestioles, j'apprécie d'ajouter du charme à ma passion. Parfois, mon amoureux s'étonne de me voir me maquiller avant d'aller à la pêche. Je le rassure en lui disant que j'aime me faire belle pour retrouver mes copines les truites. C'est juste une coquetterie entre filles. Par contre, je n'abuse jamais du maquillage, il ne faudrait pas non plus effrayer les poissons !

Bien sûr, lorsque je pêche, je ne me préoccupe pas de savoir si c'est joli et pendant que Marc m'observait ce soir-là, mon objectif était bien de séduire quelques poissons.

Si le sifflement de la soie m'enchantait et que les gobages se montraient maintenant plus francs, rien n'y faisait.
Je focalisais mon attention sur un gros rond en face de moi.
Il y avait énormément d'insectes différents sur l'eau. Je tentai à plusieurs reprises de changer de mouche sans trouver
la bonne. Je demandais conseil à mon chéri qui pêchait alors
en nymphe au fil et n'avait aucune solution à mon problème.
Légèrement agacée, je sortis de l'eau pour aller m'asseoir
quelques minutes auprès de mon chien, histoire de me calmer et d'observer sereinement la situation. Argo grognait
de plaisir sous mes caresses tandis que je contemplais la rivière. Les gobages claquaient de plus en plus fort et je ne
résistais pas longtemps à retourner embêter mon poisson
qui se goinfrait bruyamment. C'était une belle truite, j'en
étais sûre. J'avais enfin vu ce qu'elle prenait et j'étais certaine de la piéger. Elle se nourrissait de belles éphémères
dont la couleur tire sur l'orangé, des Ecdyo ! Je tentai un premier passage avec mon artificielle, persuadée que la truite
n'y verrait que du feu, mais je n'obtins qu'un joli remous
sous ma mouche. J'insistai par défiance, mais mon poisson
n'était pas dupe. Je retournai ma boîte pour trouver un autre
modèle ressemblant à l'insecte convoité. Tout ce qui, à mes
yeux, imitait de près ou de loin l'éphémère dériva sur la tête
du poisson, mais celui-ci s'obstinait dans ses refus. Pire encore, la zébrée engloutissait un vrai insecte juste devant ou
juste derrière ma mouche. Je bavais devant sa gueule qui se
refermait sur les éphémères orangées et je cherchais désespérément la bonne imitation. De temps en temps, je jetais un
coup d'œil vers Marc qui, lui aussi, s'était mis à pêcher en
sèche. J'espérais le voir piquer une truite pour pouvoir lui
demander avec quoi il l'avait prise. Je tentai d'autres poissons autour de moi mais tous semblaient à la même table.
Ma truite n'hésitait pas à attirer mon attention en faisant claquer ses mâchoires. Cela en devenait exaspérant, surtout que

j'avais fait le tour de ma boîte à mouches. Impuissante, je la regardais s'empiffrer. J'étais à la limite d'abandonner en voyant les insectes dériver et cette satanée truite les engloutir goulûment. Je tournais les talons pour m'éloigner et ne plus voir ce spectacle désolant quand je vis un ecdyo flotter dans ma direction. J'attrapai l'éphémère pour l'examiner et mieux la comparer à mes mouches. Elle était bien plus grosse que mes imitations et je devais malheureusement admettre que je n'avais pas son sosie dans ma boîte. La truite me narguait en continuant à se gaver de manière bruyante et je sentais la colère monter en moi.

Je tentai alors un dernier truc. J'accrochai la belle éphémère à ma mouche soigneusement déplumée et la déposai sur l'eau pour vérifier l'aspect de mon artifice. Ravie de constater que l'ecdyo flottait à merveille, je songeai à le présenter à ma truite. J'avançai d'un ou deux mètres pour réduire la distance et m'appliquai dans un lancer avec la plus grande délicatesse. Je réussis à poser l'éphémère exactement dans la bonne veine d'eau. Je la regardai dériver en bougeant ses ailes, ce qui ne faisait qu'accroître mon excitation. J'avais la mouche parfaite et ma truite la cueillit avec gourmandise. Pendant qu'elle se tordait de surprise au bout de ma ligne, je criai ma satisfaction d'être enfin parvenue à la feinter. J'en profitai pour me moquer d'elle ouvertement. « Ha ha ! Tu fais moins la maligne maintenant ! » La zébrée tentait de s'enfuir par tous les moyens, mais j'étais bien décidée à lui donner une bonne leçon. Je ris de bonheur en la mettant dans l'épuisette en pensant au mauvais tour que je venais de lui jouer.

Marc, qui, de son côté, n'arrivait pas à faire monter un poisson, ne se fit pas prier pour me rejoindre. La truite n'était pas monstrueuse, mais qu'est ce que j'étais contente d'avoir réussi à la prendre ! La vilaine, elle m'avait mis les nerfs en pelote ! De loin, mon chéri avait bien vu que je commençais à m'énerver et il m'avoua ne pas avoir trouvé la bonne mouche. Il devint alors curieux de savoir avec quoi j'avais pris mon poisson. J'éclatai de rire en voyant sa tête lorsque je lui montrai mon artificielle toute déplumée.

– Ben, quoi ? Elle n'est pas belle, ma sèche ?

Il me regardait d'un air sceptique et je ne pouvais m'empêcher de continuer à me marrer. Après la truite, c'est au pêcheur que je faisais une blague.

– Mais si, je t'assure qu'elle a gobé dessus !

Dépité, Marc m'expliqua qu'il avait essayé toutes sortes d'imitations d'ecdyo sans succès. Il restait incrédule devant ma mouche en piteux état et je lui avouai enfin mon stratagème. Il rit à son tour de ma farce, mais fit semblant de ne pas être étonné et me rappela que depuis que j'avais pris un saumon de fontaine sur la haute rivière d'Ain en accrochant un vairon à ma micro-nymphe, il s'attendait désormais à tout et n'importe quoi avec moi !

Il m'accusa en plaisantant d'avoir triché alors que je me vantais de m'être adaptée à la situation avec finesse. Il m'accorda alors le mérite d'être une sacrée maligne et me rappela toutefois que lui aussi m'avait attrapée. Je devins rouge comme un ecdyo en pensant à la mouche avec laquelle il m'avait piquée, mais me défendis de ne m'être jamais laissée rouler dans la farine comme une truite. Nous retournâmes à nos poissons jusqu'à la nuit.

Ces vacances estivales s'étaient terminées en beauté. Quelques heures à peine étaient passées depuis que ma dernière truite avait retrouvé sa cachette. Le temps semblait s'être ralenti depuis mon retour dans l'usine. Le nez collé à ma loupe, je souriais pourtant en soignant les finitions de mes vis en titane. Allez, courage ! Il faut bien travailler pour apprécier les congés. Encore quelques centaines de pièces à ébavurer et on serait enfin vendredi. Cela faisait à peine une heure que j'avais repris le boulot, mais j'avais déjà dans l'idée d'aller à la pêche dès le week-end. La semaine s'annonçait longue !

* * *

- X -

La nymphe à vue

Pour commencer, il y a eu cette fois où mon chéri m'a demandé de ne pas faire de bruit et de me placer juste à côté de lui sur la berge. Nous pêchions une jolie rivière qui prend sa source dans la Vallée Verte en Haute-Savoie. Nous avions quitté la maison sans hâte en fin de matinée pour profiter d'un pique-nique au bord de l'eau. Nous avions pris les cannes à mouche et le reste du matériel au cas où l'envie nous prendrait de taquiner quelques poissons et bien évidemment, après un casse-croûte à contempler la rivière il était inévitable que nous nous mettions en action de pêche. Chez nous, les truites sont plutôt capricieuses lorsque la bise rafraîchit l'air et l'eau par la même occasion.

Nous avions beau peigner méticuleusement chaque courant à la roulette, aucune des nombreuses habitantes des lieux ne semblait de sortie. C'est pourquoi après deux heures sans la moindre touche, Marc me proposa de me montrer quelque chose de nouveau et m'invita à le suivre à pas de loup sur la berge. Très attentive, je me tenais donc à ses côtés et il me dit qu'il allait poser sa nymphe au fond de l'eau, et qu'il ne fallait pas que je la quitte des yeux. Il m'expliqua qu'il allait la décoller gentiment et qu'une truite allait peut-être sortir de sa cachette pour la prendre. Moqueuse et sceptique comme je suis, j'ai évidemment cru à une farce.

– Mais bien sûr… Et la truite, elle va mettre la nymphe dans du papier d'aluminium… Ha ha ha ! La bonne blague !

Je n'avais pas fini de le chambrer que Marc, indifférent à mes sarcasmes, souleva d'un très léger mouvement de poignet la nymphe qu'il venait de poser sur le fond et que, tout à mon humour de potache, j'avais déjà perdue de vue.

La suite, dans mon souvenir, c'est cette petite fario qui sort de sous la berge pour prendre l'imitation et moi qui m'exclame avec élégance :

– Wouah, c'délire !

C'était la première fois que je voyais un poisson prendre une mouche de si près. Jusque-là, je ne m'étais jamais posé la question et j'ignorais où pouvaient bien se cacher les truites... C'était incroyable ! J'avais l'impression de pénétrer dans un monde nouveau, d'être invitée à une fête dont je n'avais connu jusque-là que la rumeur. Du coup, j'ai dû passer le reste de l'après-midi à dandiner des nymphes devant toutes les cachettes possibles et à m'éclater comme une gamine à chaque fois qu'une truite en sortait.

Ce fut le début d'une grande aventure. La nymphe à vue, la NAV comme disent certains de ses fidèles, devint pour moi la Pêche avec un grand P, la nouvelle affaire de ma vie.

Peu de temps après, Marc m'emmena sur une rivière jurassienne bien plus calme où la pratique de la nymphe à vue est reine. Nous commençâmes par de la pêche de bordure et dans un premier temps j'avais beaucoup de mal à repérer les poissons, d'autant plus que les truites franc-comtoises, les "zébrées" comme on les surnomme, ont une faculté de mimétisme assez déroutante. Je devais apprendre à regarder sous l'eau, à observer, à être discrète... Et tout naturellement, je suis tombée amoureuse de la nymphe à vue parce que justement j'en prenais plein les yeux.

C'était comme si on m'avait donné à contempler le Graal à chaque partie de pêche. Et peu importait que le poisson ne finisse pas dans l'épuisette, du moment qu'il me laissait de belles images plein la tête.

Il y a un mélange d'émotions qui varie du calme que l'image procure à l'excitation de prendre le poisson. On apprend beaucoup sur le comportement des poissons ainsi que sur tout ce qui vit dans et autour de la rivière. Ainsi, j'ai commencé à observer la métamorphose de ces insectes qui sont si chers au pêcheur à la mouche et à m'émerveiller devant la magie d'une éphémère de mai, la fameuse « danica » quittant son enveloppe nymphale. Je me suis extasiée à la vision d'une larve de libellule en train d'effectuer sa mue imaginale. J'ai aussi appris à être patiente et j'ai découvert que je pouvais l'être bien plus que je ne l'aurais jamais soupçonné. Au début, alors que Marc me conseillait d'attendre une truite qui faisait sa ronde, j'avais du mal à rester plus de cinq minutes à espérer son retour. Mais j'ai rapidement réalisé que la patience est souvent récompensée et il m'arrive même maintenant de m'attarder longuement sur des postes que je juge propices avant d'avoir repéré un poisson.

De plus, dans ces moments d'attente, j'assiste pour mon plus grand bonheur à des scènes incroyables comme cette fois où une bergeronnette est venue se poser sur mon pied. J'attendais immobile et je m'étais appuyée contre un vieux tronc d'arbre habité par des fourmis. L'oiseau, après quelques hésitations, avait fini par se laisser tenter par les insectes qui couraient sur ma chaussure et j'étais ravie par son audace. Un autre jour, c'est une belette qui faillit sauter sur mes genoux et j'ai bien cru mourir d'un arrêt cardiaque en la voyant surgir du coin de l'œil. Dans l'expectative, tout devient possible, un chamois qui débarque sans méfiance, un renard qui traverse la rivière jusqu'à moi et je ne désespère pas de réaliser le rêve d'apercevoir un lynx. La nymphe à vue telle que je la pratique favorise selon moi une jolie communion avec la nature.

Et les poissons dans tout ça ?

Je les espionne, j'épie leur comportement et je ne me lasse pas de les voir onduler lentement. Je peux facilement m'arrêter de pêcher un long moment juste pour apprécier le spectacle d'une truite imprenable qui nymphe dans un courant. Au moins, si je ne peux la mettre dans mon épuisette, je la fais entrer dans ma tête et l'emporte avec moi.

A vue, c'est moi qui choisis les poissons que je vais tenter d'attraper. Certains jours favorables, je me permets de sélectionner les plus gros et, suivant mon humeur, les plus méfiants. Quand les temps sont durs, j'en choisis de taille plus modeste ou je privilégie les plus faciles. Forcément, il y a des jours sans activité où on ne peut s'accorder de faire la difficile et j'essaie de saisir chaque rare occasion.

J'ai commencé par pêcher en nymphe à vue à l'arbalète pendant plusieurs saisons, puis la méfiance des truites les éloignant des bordures, il a fallu que j'apprenne à les attaquer à distance. Cela rajoute beaucoup de difficultés. Techniquement, j'ai encore beaucoup de progrès à faire, car je ne maîtrise pas parfaitement mes lancers. Je devrais certainement m'entraîner un peu plus sérieusement, car j'ai cette fâcheuse habitude d'oublier de me concentrer sur mon geste.

Or, les choses se passent plus loin et aujourd'hui encore, j'ai du mal à savoir si ma nymphe dérive de la bonne manière. Parfois, je ne sais même pas où elle est, comme ça, c'est le suspense total... Je me contente de surveiller le poisson, prête à ferrer au moindre décalage. D'ailleurs, il est plutôt rare que je le voie secouer la tête sans avoir bougé parce que je ne me suis pas rendu compte que je lui avais trop bien amené la nymphe dans la gueule. Par contre, il est fréquent qu'il recrache ma nymphe alors que je la croyais deux bons mètres plus loin. Enfin, la plupart du temps le poisson s'enfuit à la vue de ma mouche qui drague en travers du courant parce que j'ai toujours cette fâcheuse habitude de poser trop tendu. J'ai aussi encore quelques difficultés à savoir choisir une nymphe au lestage approprié en fonction du courant et j'avoue que c'est un peu la loterie quand j'ouvre ma boîte.

Je ne recherche pas la perfection. Comme je dis souvent, je pêche « à l'intuition, sans prétention ».

Mais ce qu'il y a de sûr, c'est que j'ai découvert qu'il n'y a rien de mieux que la vision d'un poisson à distance qui se décale pour prendre ma nymphe. Il y a généralement ce moment de doute où l'on ignore si on a ferré au bon moment... et lorsqu'on voit le poisson qui se contorsionne et qu'on sent la ligne tendue, alors la montée d'adrénaline atteint son apogée. Depuis que j'ai découvert la nymphe à vue, il est très rare que je pêche autrement. Je prends beaucoup de plaisir à pêcher en sèche, mais pêcher l'eau « en nymphe » avec une canne à mouche m'ennuie très vite. Il faut vraiment que je n'aie pas d'autre choix pour peigner l'eau, que les poissons soient très coopératifs et qu'il y ait régulièrement de l'action. Sinon, je préfère encore m'asseoir et juste profiter d'être au bord de l'eau en rêvant à des eaux plus claires.

Il semblerait que la nymphe à vue soit un virus très contagieux. Les premiers symptômes apparaissent lorsqu'on a l'impression d'avoir passé la journée la tête sous l'eau. Le mal est fait quand on ferme les yeux le soir pour s'endormir et qu'on voit des poissons... La dépendance est d'une croissance fulgurante. Ainsi, je connais quelques pêcheurs qui ne juraient que par la pêche en sèche et qui paraissent ne plus s'en souvenir...

L'année dernière, j'ai pris la peine d'initier deux amis à cette technique. Dernièrement, au téléphone, l'un deux me remerciait encore, la voix très enthousiaste, de lui avoir ouvert les yeux. Il m'avouait ne plus aborder la rivière de la même façon et observer à deux fois avant de rentrer dans l'eau. Depuis qu'il a appris à regarder sous la surface, il découvre des poissons qu'il n'aurait jamais repérés avant. Il a vraiment apprécié ma manière passionnée de partager mes quelques connaissances sur la nymphe à vue et ne pense plus qu'à cette technique. Je suis plutôt contente d'avoir réussi à lui donner le virus même si je n'y ai pas grand mérite. C'était tellement facile de lui montrer des poissons extraordinaires dans une rivière paradisiaque. D'autant plus que j'ai pu compter sur la coopération d'une jolie zébrée qui s'est portée volontaire pour une démonstration que mon ami ne semble pas prêt d'oublier. A la fin de notre conversation, j'ai tout de même été obligée de lui annoncer la mauvaise nouvelle : « Mon pauvre ami, il n'y a pas de vaccin, tu n'en guériras pas. »

* * *

- XI -

L'arbalète et la squaw

Beaucoup de pêcheurs dénigrent la méthode de nymphe à vue dite « à l'arbalète » sous prétexte qu'elle est moins technique qu'à distance de fouet. Du coup, ils affirment imprudemment qu'il est bien plus facile et donc moins glorieux de prendre un poisson de cette manière. Personnellement, j'y trouve au contraire tout plein d'intérêt et de difficulté.

Tout d'abord, j'adore l'approche d'Indien qu'elle nécessite et le mot « traque » y prend tout son sens. J'imagine que c'est un peu l'équivalent de la chasse à l'arc comparée à celle pratiquée avec une carabine. Je perçois du reste la même grâce dans le geste de l'archer et lorsque les doigts du pêcheur lâchent la nymphe, c'est en quelque sorte la même volonté d'atteindre la cible avec précision.
La distance de tir est très réduite et on n'a alors pas d'autre choix que de soigner son approche. Cela implique une grande concentration puisque chaque pas, chaque mouvement est calculé et de préférence au ralenti. On peut éventuellement faire craquer un bout de bois sous ses pieds, mais il est hors de question de faire rouler une pierre jusque dans l'eau. Dans le premier cas, on s'immobilise en se donnant des noms d'oiseaux et dans le deuxième, on prie que la

pierre n'atteigne pas l'eau. D'ailleurs, après plusieurs saisons de pratique, c'est presque devenu une habitude d'arpenter les berges telle une Sioux et lorsque j'approche la rivière, c'est naturellement à pas de loup. Un promeneur qui s'amuse à m'observer se demande forcément à quoi je joue et heureusement que j'ai une canne à pêche dans les mains pour lui donner un indice sur ce que je suis en train de faire. Pour moi, c'est en effet un jeu de cache-cache avec les poissons et lorsque je surprends un autre pêcheur qui ne m'a pas entendu arriver ou, dans le meilleur des cas, que je passe complètement inaperçue, je me félicite de ma discrétion. Les jours où je suis d'humeur taquine, je trouve même très drôle de faire sursauter celui qui ne s'attend pas à me voir en attendant la toute dernière seconde pour me manifester, certaine de mon effet de surprise. Le plus comique, c'est lorsqu'un pêcheur tombe nez à nez avec mon chien-loup qui sait attendre, planqué dans la ripisylve. J'entends alors une toute petite voix qui demande s'il y a quelqu'un... Mais bon, le but premier n'est pas de faire peur aux gens, mais bien de surprendre les poissons qui rôdent le long des bordures. Or, les berges sont à certains endroits si encombrées qu'on se prendrait presque pour un sanglier. Il faut alors forcer le passage à travers une végétation très dense et quand il faut se faufiler à travers les branches avec la canne qui s'accroche à chaque mauvaise manœuvre, ou que les ronces vous agrippent de partout quand ce ne sont pas les orties qui piquent les bras, il y a de quoi devenir fou.

Qui, à bout de nerfs, n'a pas maudit le mûrier qui l'oblige à revenir en arrière pour récupérer son épuisette après avoir tiré comme un forcené sur l'élastique en espérant que la ronce cède ? Qui n'a pas pété les plombs parce qu'il faut renoncer après maints efforts et faire demi-tour puisqu'il n'y a plus d'issue à travers le buis épais d'un sous-bois ?

Il y a aussi tous ces moments où je me retrouve dans des

postures très inconfortables, à la limite de la crampe durant de très longues minutes sans pouvoir en changer parce qu'une truite a décidé de s'arrêter à quelques mètres et que le moindre geste la ferait déguerpir. Mais justement, ce qui me plaît le plus dans cette pratique, c'est que je vois les poissons en gros plan. Le comble, c'est lorsque du coup, c'est de trop près pour les pêcher à cause de la longueur de la canne, mais quel privilège de pouvoir observer ce que l'on convoite dans les moindres détails… Un jour que je m'étais postée en équilibre sur une pierre de tout juste la taille de mes pieds, une belle zébrée est venue frôler mes chaussures. La canne pointée vers l'avant, je l'attendais de l'autre côté d'un arbre couché, mais la coquine est passée à quelques centimètres de mes semelles, sous mon bras tendu. Bien évidemment, je ne pouvais rien tenter à part peut-être lui marcher dessus. J'avais au moins la certitude qu'elle ne m'avait pas vue. Lorsqu'elle s'éloigna par chance dans la bonne direction, j'animai enfin ma « fressane » devant son nez et quelques minutes plus tard, alors que la truite était dans l'épuisette, je me moquai du tour qu'elle croyait m'avoir joué et lui conseillai de se méfier quand elle verrait mes chaussures à l'avenir.

Il m'est arrivé plus d'une fois d'être accroupie au ras de l'eau et de voir une truite de si près que j'aurais pu croire la toucher en tendant le bras. Certaines ne font que passer, occupées à leur ronde, d'autres semblent se méfier d'une forme inhabituelle sur le bord. Elles se rapprochent de façon incroyable comme pour mieux voir et s'arrêtent même à moins d'un mètre avec cette manière bien particulière de bouger leurs nageoires pectorales. J'ai l'impression qu'elles me regardent et qu'elles attendent mon erreur, le moindre geste de ma part qui confirmera leurs doutes. C'est ainsi un jeu de patience qui s'engage, à celle qui bougera la première et pendant ce temps-là, j'apprécie de pouvoir la contempler.

D'ailleurs, cela m'amuse plus que tout de repérer un poisson et d'essayer de l'approcher sans être vue. Il y a cet instant où après avoir observé son comportement, j'étudie la situation, je regarde autour de moi pour élaborer ma stratégie. Si la truite s'active, mon plan est plus facile à exécuter et comme dans une partie de « Un, deux, trois… soleil ! », je profite de son inattention pour m'avancer dans sa direction, prête à m'immobiliser dès qu'elle s'arrête. La plus grande difficulté est donc d'aborder un poisson qui ne bouge pas, si bien que je me retrouve souvent à ramper sur le dos et à force, mon pantalon est bien usé aux fesses. Mais quelle satisfaction de réussir à se placer au plus près d'une truite sauvage…

Je ne me lasse pas de ces longs moments de proximité avec ces animaux pourtant si farouches. Il y a même une sorte de familiarité qui s'installe avec les poissons que je retrouve aux mêmes endroits sur les parcours que je pratique très régulièrement. Je les reconnais à leurs habitudes ou quelques signes particuliers et l'inquiétude me gagne lorsque je ne les retrouve pas fidèles à leur poste. Parfois, cela m'indique seulement que les poissons ne sont pas dehors, mais lorsqu'il y a de l'activité et qu'une belle manque à l'appel, j'espère qu'elle a juste déménagé ou rôde pour le moment un peu plus loin. Dans le meilleur des cas, je suis alors forcément ravie de la retrouver plus tard comme si nous avions juste loupé le dernier rendez-vous.

D'ailleurs, il m'est aussi arrivé de regarder ma montre pour aller me poster à certains endroits où j'avais préalablement remarqué qu'une grosse truite faisait sa ronde à heure fixe. Bizarrement, moi qui ne suis pas du genre ponctuel, j'arrive en avance sur ces coups-là. L'attente me paraît alors bien longue, d'autant plus que je n'ai aucune certitude sur la venue de la belle, mais c'est un bonheur de la voir apparaître comme si elle répondait à mon invitation. Je me souviens particulièrement d'une grosse mémère que j'avais croisée par hasard le premier jour sur le coup des huit heures et demie. Avec l'effet de surprise, je n'avais rien pu faire et m'étais seulement contentée de la regarder faire sa boucle. Je retournai donc le lendemain au même endroit avec un peu d'avance et tout le loisir de choisir mon poste de préférence confortable. Je patientai avec mon gammare posé au fond de l'eau à côté de deux gros blocs entre lesquels la truite était passée la veille. Comme prévu, elle pointa le bout de son énorme nez. Elle semblait effectuer le même circuit. J'étais prête à lui souhaiter la bienvenue en relevant ma nymphe puisqu'elle arrivait entre les rochers, mais malheureusement, je sentis mon fil se tendre parce que le gammare restait bêtement accroché à une pierre du fond. Je fus obligée de regarder s'éloigner ce poisson monstrueux en me maudissant d'être aussi stupide.

Je le vis redescendre quelques minutes plus tard par le large, mais après une longue attente, je dus me résoudre à reprendre rendez-vous pour le jour suivant. Le lendemain, j'étais donc à nouveau postée à l'endroit propice et j'avais pris soin cette fois-ci de déposer ma nymphe sur le fond sableux entre les blocs. Il était l'heure et je félicitai à voix basse ma truite pour sa régularité. Elle venait d'apparaître une dizaine de mètres en aval et je me réjouissais de nos retrouvailles. La main tremblante, parce qu'elle était vraiment impressionnante par sa taille et sa tête effrayante, j'attendis le moment opportun pour animer ma nymphe à son arrivée. La truite avançait si lentement que le temps semblait s'être arrêté. Je pus enfin relever mon gammare devant sa gueule, mais ne déclenchai aucune réaction. La zébrée passa son chemin alors que dans un ultime espoir, je faisais sautiller mon imitation sur le fond en espérant agacer la belle et l'inciter à se retourner dessus. La truite l'ignora superbement et je restai toujours sans bouger, le souffle coupé par la majesté de ce poisson-trophée. Quand elle se fut éloignée, je récupérai ma nymphe et remarquai alors qu'une brindille, un minuscule bout de racine, y était accrochée. Cela expliquait donc le désintérêt que mon gammare avait suscité même si, de toute façon, je ne peux affirmer que cette vieille truite se serait laissée prendre au piège. Je suis retournée plusieurs fois à la même heure à notre point de rendez-vous, mais je ne l'y ai jamais revue. Je l'ai croisée une ou deux fois par la suite, mais plus loin… trop loin pour la pêcher.

En effet, la technique de l'arbalète présente indéniablement le défaut de ne pouvoir pêcher que des poissons à courte distance et si on se retrouve sur une berge d'où il est impossible de fouetter ou d'effectuer un rouler, cela se révèle très frustrant d'être impuissant devant une belle truite trop lointaine. Donc indifférente.

A vrai dire, je crois que c'est la technique qui malmène le plus mes nerfs. Parce qu'on n'y gagne pas souvent et qu'elle est éreintante. C'est pourtant celle que je pratique à outrance, parfois plusieurs jours de suite, parce qu'elle me permet d'être en « tête-à-tête » avec les poissons. A certains moments, fatiguée ou contrariée, je me dis qu'il faut certainement être un peu masochiste pour persister à les traquer de la sorte, mais je me console en pensant que c'est un privilège de pouvoir le faire essentiellement le long de magnifiques rivières. Je remercie le ciel d'avoir la capacité de crapahuter sur les berges, quitte à en baver un peu. Je me motive en supposant que lorsque je serai trop vieille, je regretterai ces moments pénibles à m'aventurer à quatre pattes jusque dans les coulées de castors à travers les roseaux ou à ramper sous les saules. Alors, je profite de ma chance et tant que je le pourrai, je m'efforcerai d'entrer ainsi dans l'intimité des truites.

* * *

- XII -

La pêche aux leurres

     Ayant fini par déserter les réservoirs trop fréquentés et leurs truites un peu tarées, nous avions découvert en alternative la pêche d'arrière-saison sur le vieux Rhône. Nous avions vite apprécié de nous rendre en Chautagne, depuis Serrières jusqu'à Lucey, pour pêcher les ombres communs dans les bras de l'ancien lit du fleuve. Puisqu'il y avait une bonne heure et demie de route, la possibilité de dormir sur place dans notre camion et de profiter d'une nature sauvage durant des week-ends entiers devint vite une habitude. Il y a en effet de nombreux chemins carrossables qui aboutissent à la rivière après avoir longé tantôt des vignes tantôt des champs de maïs. En finissant par s'enfoncer à travers la friche et dans la forêt qui borde le vieux Rhône, il est d'ailleurs fréquent d'y croiser des rabatteurs et par la même occasion du grand gibier. Nous avons du reste souvent pu voir quelques chevreuils ou sangliers se jeter à l'eau et traverser à proximité pour échapper aux tirs des chasseurs. J'avoue que certaines fois, nous n'étions pas du tout rassurés de nous retrouver entre la proie et le tireur et avons hurlé pour signaler notre présence.
Ces coups de chaud nous ont d'ailleurs convaincus de nous habiller de vestes aux couleurs vives et de mettre une clochette à notre chien-loup qui, avec son dos noir, aurait eu

vite fait d'être pris pour un cochon solitaire. Quoi qu'il en soit, malgré ces quelques journées aux allures de western, nous avons le plus souvent profité de la tranquillité d'une nature préservée. Dès le début de l'automne, le vieux Rhône, qui est alimenté par des rivières glaciaires dont le froid a arrêté la fonte, retrouve une belle transparence et un niveau qui laisse enfin apparaître dans son ancien lit de grands lisses et radiers favorables à la pêche de l'ombre. Les bordures envahies par les renouées du Japon se parent de toutes les teintes allant du jaune au rouge, en harmonie avec les couleurs flamboyantes des forêts environnantes. Le soir, de magnifiques couchers de soleil embrasent régulièrement le ciel et le fleuve s'enflamme alors comme s'il voulait saluer le départ de l'astre solaire. Nous passions de belles soirées en compagnie de nos copains, à partager quelques bières autour d'un feu avant de nous régaler d'une fondue savoyarde au bord de l'eau. Le matin, nous nous réveillions fréquemment sous un épais brouillard, mais toujours de bonne humeur et optimistes.

Ce jour-là, nous arrivions à la fin du mois de novembre et profitions de ce qu'on appelle un été indien. Donc, même s'il commençait à geler le matin, les températures durant la journée restaient très clémentes pour la saison. Nous en étions arrivés à la conclusion qu'elles étaient même trop douces puisque très peu d'éclosions favorisaient la pêche des ombres en sèche. N'éprouvant pas un très grand intérêt pour la pêche au fil, je me décidais finalement à faire comme les copains qui avaient trouvé la parade en pêchant le carnassier au leurre. Jusque-là, je m'étais contentée de me moquer de mon chéri lorsque je le voyais bidouiller avec enthousiasme ses poissons factices à la maison. Évidemment, lorsque je lui demandai de m'équiper d'un lancer, il ne rata pas l'occasion de feindre de s'étonner que je veuille faire « mumuse » avec ses « poissonnets ».

En réalité, il était ravi de m'initier à cette nouvelle technique et après m'avoir monté une ligne, me laissa choisir un leurre souple très coloré que je trouvais particulièrement joli. Lorsque je l'eus accroché à l'agrafe, il m'expliqua comment l'animer et, même si j'étais légèrement sceptique sur l'efficacité de mon appât en plastique, je m'appliquai à suivre les conseils du guide. Nous longions un affluent du Rhône juste au-dessus de sa confluence et les troncs immergés semblaient représenter les postes à prospecter en priorité. Avec une grande maladresse, je ne tardai pas à accrocher mon premier leurre à l'une des nombreuses branches au fond de l'eau. Je perdis rapidement le deuxième dans un arbre sur la bordure, si bien que je n'osais presque plus lancer le troisième de peur de dévaliser la boîte de Marc. Il m'encouragea à persister en faisant peut-être un peu plus attention et je choisis alors des postes plus dégagés. Ne laissant plus descendre mon leurre au fond, je pus ainsi pêcher une bonne heure sans avoir à passer au ravitaillement mais avec surtout peu de chance de prendre un poisson.

Je commençais à me lasser de cette pêche infructueuse, d'autant plus que les copains n'avaient guère plus de succès. Je profitai alors d'une nouvelle perte de mon leurre pour arrêter les dégâts. Il valait sans doute mieux que je regarde les autres faire afin d'en tirer quelques leçons et je m'amusais à aller de l'un à l'autre pour les encourager à me montrer comment on prend un poisson. Je fus rassurée de constater que même eux restaient parfois accrochés et ce fut mon tour de les chambrer. De nombreux lancers plus tard, aucun carnassier ne s'était manifesté et le moral des troupes commençait à baisser. Nous étions maintenant à la confluence, Julien certifiait que ce n'était pas possible qu'il n'y ait pas de brochet à cet endroit et en effet, Patrice lui donna raison en prenant le premier bec. Il n'était pas bien gros, mais il eut le mérite de redonner le sourire à toute l'équipe.

Julien fidèle à son habitude loupa aussitôt le poisson suivant et les deux copains s'obstinèrent un bon moment à une pointe de l'embouchure. Je descendis plus loin pour rejoindre Marc le long d'une roselière et puisqu'il prenait à son tour un brocheton, il en profita pour me convaincre de pêcher à nouveau. Il me conseilla de choisir parmi quelques poissons nageurs de sa boîte. Ne suivant que mon intuition, je désignai un leurre articulé en coloris perche. Il m'assura que c'était un très bon choix et je lui promis de faire attention à ne pas le perdre. Je cherchai vite une autre ouverture dans les roseaux et repris confiance en découvrant la nage de mon poisson, épatante de réalisme. Je m'amusais de le voir onduler en oubliant presque l'objectif initial quand un brocheton tout riquiqui le suivit jusque dans mes pieds. Je lançai à nouveau dans les parages et l'avorton vint taper dans le leurre pour mon plus grand bonheur. Sauf que le leurre était presque aussi gros que lui. Du coup, motivée comme jamais et excitée comme une gamine, je cherchais rapidement un autre poste en laissant Marc loin derrière moi. J'arrivai dans une ouverture largement dégagée et prospectai méthodiquement la zone le long des roseaux de chaque côté avant de lancer au large. Lorsque mon poisson nageur toucha l'eau, je venais à peine de fermer le pick-up et de mettre un tour de manivelle que je sentis ma ligne se bloquer net. Je ne m'attendais certainement pas à une touche instantanée et aussi franche et je ne compris pas immédiatement ce qu'il se passait. Heureusement, le poisson s'était piqué tout seul comme un grand car je n'avais même pas eu le bon réflexe de ferrer et ce n'est qu'en voyant l'énorme remous au loin que je réalisais que je tenais enfin autre chose qu'une branche. Le brochet, car c'en était un, semblait de belle taille et je me mis à brailler de joie, et aussi pour prévenir Marc et les copains.
Malheureusement, personne ne m'entendit à part un cou-

ple de promeneurs attirés par mes cris, que je dus rassurer en expliquant qu'il ne se passait rien de grave et que j'étais juste contente d'avoir attrapé un poisson. Ils me regardèrent d'un air perplexe et s'éloignèrent en pensant sûrement que j'étais à moitié folle. Je me concentrai alors sur mon combat en silence de peur qu'on me fasse interner et commençai à me demander, puisque je n'avais pas d'épuisette, comment j'allais faire pour sortir l'animal. J'avais presque ramené le poisson jusqu'à moi et je dois avouer que j'avais un peu la trouille de tenter de le saisir. Je savais que ces bêtes ont de grandes dents et de le voir secouer la tête violemment, j'avais peur de me prendre un triple dans les doigts. Constatant qu'il était relativement gros je doutais de pouvoir l'empoigner par le dos, mais heureusement, j'entendis enfin les rires de mon équipe de joyeux drilles se rapprocher. En m'apercevant, ils se demandèrent ce que je fabriquais encore la canne pliée en deux, persuadés que j'avais encore attrapé un arbre. Je criais au secours en rigolant et ils réalisèrent en voyant une gerbe d'éclaboussures que j'avais un bel et bien un joli brochet. Patrice ne se fit pas prier pour me venir en aide et dès que ce fut possible, de ses grandes mains, il bloqua le poisson derrière les ouïes. L'affaire était classée et soulagée de cette fin heureuse, je pus enfin raconter avec la passion qu'on peut imaginer ce qui venait de m'arriver.

Le brochet mesurait soixante-seize centimètres et j'étais plutôt fière, pour une première, d'avoir battu mon record du plus grand poisson. Les copains ravis de mon aventure, riaient de m'entendre raconter mes émotions. Julien se moqua de moi quand je lui avouais que je n'avais plus trop envie d'aller pêcher les ombres et Marc me félicita pour ma réussite. Je pensais que j'avais surtout eu de la chance, mais il se réjouissait à l'idée que je prenne goût à la pêche aux leurres pour ainsi partager ensemble les joies de la traque du carnassier.

En vérité, je crois que ce jour-là, ce fut plus le brochet qui m'attrapa que l'inverse. Ensuite, ce furent tous ces leurres multicolores, qu'ils soient souples ou durs, flashy ou réalistes, flottant, coulant, vibrant, silencieux… qui firent que je me suis prise au jeu. Je tournais alors avec convoitise les pages d'un catalogue de matériel de pêche comme l'aurait fait une autre femme mais, elle, pour des vêtements à la mode. Je n'ai pas tardé à glisser ma liste à Marc lorsqu'il passait une commande, prétextant qu'ainsi je ne viderais plus ses boîtes. En matière de leurre, les possibilités semblent infinies, mais encore faut-il apprendre à faire le bon choix en fonction de la luminosité, de la clarté de l'eau, de l'espèce recherchée ou de l'humeur des poissons. La pêche aux leurres est tout simplement passionnante et depuis ce jour, je troque volontiers et régulièrement ma canne à mouche contre un lancer.

* * *

- XIII -

Le barbeau au toc à la mouche

Il y a quelques années, j'avais rejoint le père de mon chéri pour une partie de pêche tous les deux. N'ayant pas eu la chance de découvrir les joies de la pêche avec mon propre père, cela a été, dès le début de ma relation avec Marc, un grand plaisir de partager ma passion avec le sien. Ayant perdu mes parents trop jeune, j'avais comme le sentiment de combler un manque et je profitais avec bonheur d'une belle complicité avec mon beau-père.

La veille au soir, nous avions tous promis de ne pas parler de pêche pendant le dîner. Je pense d'ailleurs que ma belle-mère, d'une gentillesse remarquable, a énormément de mérite pour avoir toujours supporté les passions dévorantes de son mari. Si Jean a arrêté la chasse depuis quelques années, il reste un fervent pêcheur depuis sa tendre enfance. Il profite maintenant de sa retraite pour assouvir pleinement sa passion. Son épouse a donc entendu des centaines d'histoires de pêche durant de nombreuses années, et sans doute souvent les mêmes ! Le père de son mari était un pêcheur acharné et même la grand-mère pratiquait volontiers la pêche à l'anglaise. Marc en a fait son métier et ne lui a rien trouvé de mieux comme belle-fille que moi, une cinglée de pêche. Les petits-enfants, eux aussi, ont naturellement été initiés à cette passion et lorsqu'on rajoute les nombreux amis de Jean, je crois qu'il ne se passe pas un jour sans qu'on parle de poisson dans cette maison.

Or, pour une fois, Henriette avait souhaité qu'on parle de tout autre chose à table, histoire de ne pas nous voir nous éloigner dans des anecdotes tordues et autres stratégies incompréhensibles. Nous avions tenu bon, sans effort pendant tout le repas. Vint le moment du dessert, où la maîtresse de maison nous présenta une belle corbeille de fruits. Puisque c'était la saison, elle nous proposa une « pêche ». Nous ne pouvions rater l'occasion et prétextant que c'était Henriette qui avait elle-même abordé le sujet, c'en fut fini de notre promesse. Une longue discussion halieutique s'engagea sous le regard résigné de ma chère belle-mère. Chacun y allait de sa petite histoire. Jean nous racontant sa dernière sortie au toc dans une rivière voisine. Les truites avaient fait relâche, mais il s'était amusé comme un gamin avec des barbeaux. Alors qu'il mimait de façon comique le combat avec l'un de ces poissons, je lui dis que je n'en avais jamais pris. Faute avouée, aussitôt pardonnée, Jean me promit de me faire prendre mon premier barbeau dès que possible. On clôtura le repas par une eau-de-vie à la pêche pour rester dans le vif du sujet et le lancement de la mission «Barbus barbus» fut programmé pour le lendemain.

Non seulement j'étais ravie de découvrir un nouveau secteur de la Menoge, mais c'était surtout un grand bonheur de retrouver Jean très enthousiaste comme à son habitude. C'est toujours une fête d'aller à la pêche avec lui. Poissons ou pas, on est sûrs de ne pas s'ennuyer. Pendant que nous descendions un chemin abrupt dans la forêt, je profitais des souvenirs de mon guide du jour que je complétais avec quelques anecdotes plus récentes et le chemin jusqu'à la rivière nous parut assez court. Nous avons ensuite dû traverser un massif épais de renouées du Japon, mais nous arrivâmes enfin au bord de l'eau. Je montai ma canne en observant les alentours. Il y avait par endroits de grandes falaises de terre comme si la rivière avait tranché le sol d'un seul coup pour creuser son lit. Je constatai que les renouées avaient largement envahi les berges et éliminé toute concurrence végétale. Heureusement que l'eau était basse et laissait de belles bandes de galets à sec pour permettre d'avancer en dehors de cette jungle asiatique. J'appréciais la tranquillité des lieux avec comme seul bruit celui de l'eau accompagné par le chant des oiseaux.

Jean, qui avait pris sa canne au toc, faisait l'idiot en parlant à ses vers de terre. Il les félicitait d'être en pleine forme, mais puisqu'aucun d'entre eux ne voulait se sacrifier, il désigna un volontaire pour aller à l'eau. Je ne pouvais m'empêcher de rire en le voyant enfiler un gros lombric sur son hameçon tout en imitant le poisson qui viendrait le mâcher. Il décida d'aller vite fait jusqu'au virage en aval où il avait bon espoir de prendre quelques truites dans le courant. De mon côté, j'avais tout de suite lorgné le lisse juste au-dessus de nous et il était convenu qu'il me rejoindrait ensuite. Je le regardai s'éloigner en faisant le clown et partis donc à l'opposé en direction de ce joli plat.
Un, puis deux gobages attirèrent immédiatement mon attention et je m'avançai suffisamment pour me rendre compte que des chevesnes de belle taille étaient à l'origine de ces ronds. Ayant jusque-là rarement l'occasion de pêcher autre chose que des truites dans nos rivières, je sautai sur l'occasion pour élargir ma palette. J'accrochai rapidement une mouche sèche de couleur noire à ma pointe et quelques instants plus tard, je ferrai dans le vide, une fois, deux fois, trois fois. Je mis un moment à comprendre pourquoi je loupais ces poissons au ferrage : ils ont une certaine lenteur à

prendre la mouche. Je ferrais trop tôt. Enfin, je finis par en piquer un. Le combat n'avait rien d'épique, mais j'étais impressionnée par la taille remarquable de ce poisson. Je m'amusais comme une folle à taquiner les cabots quand, alors que j'en ratais encore un autre au ferrage, j'entendis derrière moi Jean qui criait « Faut pas les louper ! » en forçant sur l'accent paysan. Je souris en le voyant lever les bras au ciel et faire mine de m'engueuler. Je me vantai alors d'en avoir attrapé deux très gros, histoire de me faire pardonner cette dernière maladresse. Et lui m'avoua n'avoir touché que quelques « riquettes ».

Il était temps de passer aux choses sérieuses car dans le courant suivant, il m'assurait qu'on trouverait des nuées de barbeaux. En effet, l'eau étant très claire, nous vîmes les grands poissons dorés plaqués au fond et je ne tardai pas à faire rouler une nymphe lourde devant leur nez. Jean observait derrière mon épaule, mais malheureusement, il n'y avait rien à faire. Les moustachus ne semblaient pas intéressés et après avoir changé plusieurs fois de mouche, il me fallut m'avouer battue.
Mon beau-père commença à leur donner des noms d'oiseaux et je lui laissai la place pour qu'il tente de me venger. Je m'étais éloignée d'une vingtaine de mètres quand je l'entendis brailler. Je le vis gesticuler, la canne cintrée et lui plié en deux par le fou rire. Le poisson semblait remonter vers moi et je fus sidérée de voir un barbeau immense passer devant mes pieds. J'éclatai de rire devant le monstre tandis que mon beau-père qui n'avait pas bougé, sautait sur place. Finalement le poisson cassa la ligne et j'en profitai pour me moquer de Jean que ce rush formidable continuait de faire rire. Il me demanda alors de lui donner ma canne et accrocha un beau lombric sur ma nymphe. Il rajouta un plomb juste au dessus et me dit alors que c'était maintenant mon

tour de prendre un barbeau au « lan-oui ».

– Au quoi ?

– Au lan-oui ! Tu ne sais donc pas ce que ce c'est qu'un lan-oui ?

Ah non, je n'avais jamais entendu ce mot et je ne sais toujours pas de quel patois il vient. Je comprenais bien qu'il désignait le gros ver qui se tordait au bout de ma ligne et je m'amusais de cette drôle d'appellation.

Le barbeau ayant semé la zizanie dans le courant, nous allâmes jusqu'au trou suivant où je plaisantai sur cette nouvelle technique de pêche à la mouche, assez peu orthodoxe. Après un salut adressé ensemble à tous les chapeaux à plumes de la planète, j'envoyais mon « lan-oui » dans le courant et ne tardai pas à sentir des saccades dans ma ligne sous le regard amusé de mon beau-père. Je ferrai alors mon premier barbeau que Jean salua brillamment dans mon dos. Le poisson fonça vers l'aval comme un avion de chasse et, laissant mon beau-père sur place, je partis à sa poursuite les bras en l'air. Je n'en revenais pas d'une telle puissance et tentai de le rattraper au risque de me vautrer en courant sur les pierres rondes qui roulaient sous mes pieds. Mon beau-père suivait tranquillement en riant de me voir courir derrière ce poisson à moitié cinglé. Mon barbeau était moins gros que celui qu'il avait piqué plus tôt, mais il se défendait comme un diable. Chaque fois que je croyais pouvoir le ramener, il repartait de plus belle vers l'aval et j'étais obligée de repartir à sa poursuite. Je réussis finalement à le rattraper et à le plaquer dans très peu d'eau. Heureuse comme une gamine, je saisis le poisson et le brandis fièrement à l'attention de Jean qui me rejoignit en me félicitant. Je restai admirative un instant devant ce nouvel adversaire. Je me moquai de sa drôle de tête, de son nez rond orné de deux barbillons et avouai n'avoir jamais vu un poisson avec une bouche pareille. Il me faisait penser à un personnage de bande dessinée et je lui trouvais un air fort sympathique. Malgré sa tête bizarre, j'estimai qu'il était plutôt beau avec sa robe dorée et ses grandes nageoires jaunes.

Jean était tout content de me voir si enthousiaste et n'eut pas à me demander de sourire pour la photo, souvenir d'un baptême réussi. Le barbeau, lui, avec ses moustaches vers le bas, tira la gueule jusqu'à ce que je lui rende sa liberté. Après ça, je n'eus même pas le temps de le lui demander, que mon beau-père me tendait déjà sa boîte de vers. Je devais admettre l'efficacité de cette nouvelle technique et ne me fis pas prier pour accrocher un nouveau lombric à ma nymphe. Nous avons pêché encore deux bonnes heures, alternant les prises à chacun son tour. Cela nous permettait de nous moquer l'un de l'autre pendant son combat et de rire ensemble de quelques casses.

Ce jour-là je compris pourquoi certains surnomment les barbeaux les « bonefish d'eau douce ». Ces poissons sont de vraies torpilles et je m'éclatais avec ces nouveaux compagnons de jeu. Hélas, à force de piocher dedans, la boîte de vers finit par être vide et il fallut se résoudre à rentrer.

Nous sommes remontés à la voiture par un chemin encore plus raide qu'à l'aller, en riant tellement de nos bêtises qu'il nous fallut nous arrêter à plusieurs reprises pour reprendre notre souffle. Jean résumait les mérites de la pêche « au toc à la mouche » et j'en avais les larmes aux yeux de l'entendre faire l'éloge du « lan-oui ». Je l'ai félicité pour son enseignement certes un peu louche selon les puristes de la pêche au fouet. Je l'ai surtout remercié pour la promesse tenue de me faire prendre mes premiers barbeaux. Cette mission « Barbus barbus » fut une réussite totale !

* * *

- XIV -

La haute rivière d'Ain

La première fois où Marc m'a emmenée sur la haute rivière d'Ain, j'ai découvert le fameux parcours de La Roche et franchement, j'ai été loin d'être subjuguée. Le ciel était gris et la rivière me paraissait triste. J'étais jusqu'alors habituée à nos rivières alpines, aux courants qui chantent. Le fait de me retrouver devant cette eau calme m'inspirait de la mélancolie. J'ai d'ailleurs nettement préféré, le lendemain, pêcher la Saine, son affluent en amont.

J'avais tout de même énormément accroché sur les paysages alentours et étais conquise par le Jura, sa nature sauvage et ses grandes forêts d'épicéas. Dans ma vallée trop peuplée de Haute-Savoie, les montagnes ferment l'horizon, les humains grouillent un peu partout et il faut de plus en plus prendre de l'altitude pour ressentir la solitude. Du coup, à chaque fois que j'arrive à Chaux-des-Crotenay, puis au fur et à mesure que je descends la route de la Billaude, la joie m'envahit.

Et lorsque j'aperçois enfin le village de Syam, j'ai toujours cette impression d'arriver dans mon paradis.

La rivière d'Ain m'a rapidement subjuguée avec ses truites fabuleuses. Dans nos torrents de montagne, une truite de quarante centimètres représente presque un trophée. Là, pour moi, ce fut hallucinant de voir des poissons si grands.

Puis la rivière m'a envoûtée par ses ambiances vaporeuses qui créent un décor de conte de fées. J'adore plus que tout lorsque la brume recouvre la rivière en fin de journée. Il règne alors une magie silencieuse qui m'inspire calme et volupté. Le lendemain, dès que le soleil chauffe, le voile blanchâtre s'évapore comme par enchantement. L'astre solaire transperce enfin l'eau et révèle alors les secrets de la rivière. Très rapidement, je n'ai juré que par la haute rivière d'Ain. A l'amont, j'ai découvert une rivière aux profils variés : tantôt elle court dans la forêt, tantôt longée par les saules, elle traverse les champs. Elle a par endroit creusé son lit à même le calcaire et se faufile dans la roche sculptée, par des passages étroits et très profonds. J'aime la végétation qui l'entoure, la fraîcheur de la mousse et de la prêle. Par endroits, les grandes feuilles de pétasites créent une profusion exubérante. J'aime ses eaux limpides, ses fonds aux tons dorés qui donnent à cette rivière sa couleur particulière. Et bien sûr, j'apprécie le calme qui règne au bord et aux alentours de la Belle.

J'ai toujours tendance à retourner sur les mêmes secteurs. D'abord parce que j'ai des comptes à régler avec les poissons qui les habitent, ce qui fait que j'en connais certains par cœur. Petit à petit, j'ai élargi mes lieux de prospection et chaque saison je découvre encore de nouveaux coins pour mon plus grand bonheur. La haute rivière d'Ain est donc naturellement devenue ma préférée, ma rivière de cœur.

Je mentirais si je disais que c'est la plus belle, car j'ai pêché d'autres rivières qui n'ont rien à lui envier, mais on ne domine pas ses sentiments...

Pour la énième fois de la saison, en ce début du mois d'août, j'avais répondu à l'appel irrésistible de ma favorite. J'étais arrivée à Syam très tôt le samedi matin et avais traqué quelques truites en nymphe à vue jusqu'en fin d'après-midi. J'avais ensuite fait une petite pause casse-croûte pour manger avant d'envisager de changer de secteur pour le coup du soir et en passant sur la route du parcours de la Roche, j'avais reconnu la voiture de mon copain Simon.

La première fois que je l'avais rencontré, c'était un peu par hasard, en remontant de la rivière à la nuit. Après quelques mots échangés sur le parking où il s'apprêtait à passer la nuit, je lui avais alors proposé de se joindre à moi pour un campement dans un endroit encore plus calme afin de pouvoir continuer notre discussion passionnée auprès d'un feu. J'avais immédiatement été charmée par sa façon très proche de la mienne de vivre la pêche. Je n'ai pas souvent rencontré de pêcheurs qui dorment seul, à l'arrache, dans leur voiture et j'imagine qu'il était encore plus surpris de rencontrer une femme aussi cinglée que lui. Je découvrais à travers ce personnage qui parle presque à voix basse, avec beaucoup de calme, une grande connaissance du milieu aquatique, de la nymphe à vue et autres techniques de pêche. J'appréciais particulièrement son sens de l'humour et surtout sa grande humilité. Nous nous étions trouvé de nombreux points communs qui avaient nourri la conversion pendant que nous alimentions un feu de branches humides. Cet échange d'anecdotes dura jusque très tard dans la nuit. Le matin, jamais trop pressés ni l'un ni l'autre, nous avons continué à bavarder et ne sommes retournés pêcher, chacun de notre côté, que sur le coup de midi. Le soir même, en rejoignant mon camp, j'eus la belle surprise de trouver le feu déjà allumé et mon nouveau pote qui m'attendait pour encore mille et une histoires vécues au fil de l'eau.

Du coup, en voyant sa voiture plusieurs semaines plus tard, je m'arrêtai pour lui coller un mot sur le pare-brise afin qu'il puisse éventuellement me retrouver après le coup du soir. Quelques heures plus tard, en remontant de la rivière, j'eus le grand plaisir de voir ce cher Simon débarquer et après

avoir discuté une bonne heure, nous décidâmes d'aller dormir en aval de Champagnole, à mi-chemin de nos projets de pêche opposés du lendemain. Je m'étais engagée en premier le long d'un champ en suivant les traces d'un tracteur. Je voulais m'éloigner le plus possible de la route mais sentant le terrain mou sous les roues de la voiture, j'avais préféré m'arrêter en informant Simon qui me suivait, que ça devenait marécageux. Je fis donc demi-tour et après une cinquantaine de mètres, je constatai dans mon rétroviseur que Simon ne suivait pas. En le rejoignant, je vis sa voiture en travers du chemin et l'entendis patiner. Lorsque nous fîmes le tour du véhicule, nous comprîmes que nous avions alors un sérieux problème. Les roues avant étaient calées dans une belle ornière et quand je demandai à Simon s'il avait une corde, il me retourna aussitôt la question. Je n'en avais pas non plus, mais songeai rapidement à tenter d'utiliser la laisse du chien. Nous reliâmes les deux voitures grâce à la fine sangle en nylon de deux mètres, mais lors des premiers essais, les mousquetons explosèrent et nos espoirs de nous sortir de ce mauvais pas disparurent avec eux. Nous nous imaginions déjà, un peu dépités, en train d aller demander de l'aide auprès d'un agriculteur dès le lendemain matin.
En regardant de plus près, nous avons alors constaté que cette foutue ornière faisait une sacrée marche à monter et avons décidé de dégager au maximum les roues en creusant de nos mains dans la terre presque boueuse. Il devait être presque minuit et nous nous sommes retrouvés tous les deux, à quatre pattes dans l'herbe à gratter comme des tarés en riant du ridicule de la situation, avant de glisser quelques restes de foin oubliés sur le bord du champ derrière les pneus pour une ultime tentative de sortie de ce trou.
Après avoir noué la courte sangle, j'ai repris le volant en ayant de la terre jusqu'aux coudes, en priant que cette fois soit la bonne et d'un grand coup d'accélérateur, j'ai tiré la

voiture de Simon jusque dans mon pare-chocs. Nous étions enfin sortis d'affaire et après nous être éloignés de ce coin foireux nous avons pu nous décrotter les mains et les bras. Il était enfin temps de trinquer autour d'une bière longuement attendue et bien méritée à la santé de mon chien qui nous avait prêté sa laisse.

Nous avons ri de bon cœur de notre mésaventure et parlé de tout autre chose, à savoir de pêche jusque très tard dans la nuit. Le lendemain était un dimanche. Le réveil est venu nous rappeler que nous avions décidé de nous lever tôt. Nous étions ravis d'avoir refait le monde ensemble et après un bon café en plein air, au bord d'un grand champ fraîchement fauché, nous nous sommes séparés, sûrs que pour ce qui était de nous revoir, nous savions que le hasard ferait bien les choses... Et chacun, en bon solitaire, est parti de son côté. Et mon côté à moi, c'était Syam.

J'ai alors pu profiter du lever de rideau brumeux sur la rivière et dans le même temps, de la gourmandise d'une vieille connaissance qui s'était d'emblée jetée sur ma nymphe. Ce dimanche avait trop bien commencé. Je n'ai pas revu une truite de la matinée. A croire que la zébrée rancunière avait prévenu les autres. En début d'après-midi, lassée de chercher les fantômes de cette rivière déserte, je me suis offert le plaisir d'une petite sieste à l'ombre d'un grand frêne. Je dois avouer que je suis une adepte de cette pratique reposante et l'apprécie d'autant plus lorsque je suis au bord de l'eau, bercée par le chant des oiseaux et sous l'œil bienveillant de mon chien. Avec le temps, j'ai acquis la faculté de m'endormir à peu près n'importe où et pour peu que les poissons semblent roupiller eux aussi, je n'hésite pas à m'assoupir, histoire de récupérer un peu de concentration et de motivation.

A mon réveil, j'ai pu constater que de toutes petites éphé-

mères virevoltaient dans l'air et j'ai eu l'intuition que cette
éclosion allait changer la donne. J'attendis donc sagement
sous mon arbre. Les éphémères semblaient de plus en plus
nombreuses et comme par magie, une belle truite apparut en
face, le long des saules. Elle remontait le courant en faisant
de grands écarts et je constatai qu'elle se nourrissait régulièrement. J'avais déjà attrapé ma canne et ouvert ma boîte
à mouches. Je choisis une petite nymphe jaune pâle et l'attachai à ma pointe tout en surveillant du coin de l'œil le poisson convoité. Je commençai à fouetter pour envoyer ma
mouche au-devant de la truite, mais celle-ci se déplaçait sans
arrêt et il n'était pas simple d'anticiper sa trajectoire complètement aléatoire. A plusieurs reprises, alors qu'il me semblait qu'elle se dirigeait vers ma nymphe, elle a soudain
changé de direction pour prendre autre chose. L'affaire se
compliqua lorsqu'une autre truite rentra dans le jeu. En plus,
un ombre de belle taille s'était incrusté dans la partie et tout
ce beau monde se croisait, se chassait dans tous les sens. Une
des deux truites refusa ma mouche et, comme pour se saisir
d'une belle opportunité, l'ombre se jeta sur mon imitation.
Mon ferrage fut juste et enfin, je sentis ma canne se plier
sous les coups de tête de ce joli poisson.
Quelques minutes plus tard, je lui enlevai délicatement l'hameçon de la gueule et lui rendis sa liberté. Les truites
n'ayant pas apprécié le remue-ménage, elles avaient disparu.
L'éclosion n'était pourtant pas finie et je décidai de repartir en quête d'une proie. Je n'eus pas à marcher longtemps,
quelques mètres plus loin, j'aperçus deux autres zébrées
en train de s'alimenter. Le bal des truites continuait !
J'avais de la chance, car la berge est dégagée à cet endroit
et je pouvais fouetter. J'avais toujours mon « ANR » jaune
comme appât et je tentai plusieurs présentations sans succès. Les deux truites étaient très actives, mais ne semblaient pas être intéressées par ma nymphe. Après un refus

catégorique, je conclus qu'il était donc préférable de changer de mouche. Je fouillai dans ma boîte mais ne trouvai rien qui ressemblait plus à ces petites éphémères claires que la nymphe que j'avais utilisée jusqu'alors. Je regrettai de n'avoir pas passé plus de temps devant mon étau et optai finalement pour une « cuivre ». Elle n'avait rien à voir avec ce qui volait sur l'eau, mais cette mouche m'avait prouvé son efficacité à maintes reprises. Mes truites étaient toujours en pleine activité. Elles ne cessaient de se déplacer rapidement et c'était très compliqué de croiser leur trajectoire qui changeait sans arrêt. J'étais surexcitée, car j'avais affaire à deux poissons de très belle taille. La plus grosse disparaissait parfois en aval, derrière des arbres sur ma gauche. J'essayais d'anticiper son retour et posai ma nymphe en amont dès qu'elle pointait le bout de son nez. Elle fit plusieurs écarts pour se nourrir, mais passa à chaque fois loin de ma mouche. J'enrageai en la soupçonnant de le faire exprès. Je m'apprêtai à arracher ma nymphe de l'eau lorsque la deuxième truite redescendit. Elle suivait la dérive de ma mouche. J'animai légèrement. La truite accéléra et soudain je vis le blanc de sa gueule. Elle ne s'était pas arrêtée et ce ne fut que lorsque je ferrai qu'elle stoppa et se tordit sur elle-même. « Pendue ! » Elle me fit un départ fulgurant et de trouille, je lâchai immédiatement la soie. Le poisson se dirigea vers l'aval, derrière les arbres, et je n'eus d'autre choix que de sauter de la berge afin d'avancer de quelques mètres dans l'eau. Je ne pouvais pas faire grand-chose à part tenir le fil tendu et espérer qu'elle n'irait pas trop loin. Elle se dirigea droit vers la berge opposée et je priai pour qu'elle n'aille pas s'enfiler dans des racines. Soudain, j'eus très peur de perdre ce poisson et je la bridai un peu plus pour essayer de la faire changer de direction. A voix haute, je lui intimai l'ordre de se calmer et réussis enfin à la déséquilibrer. Elle nageait maintenant devant moi et commençait à montrer quelques signes de fatigue, mais je n'osai pas encore me réjouir.

Elle finit par s'abandonner. Je décrochai mon épuisette tout en tirant gentiment la belle zébrée vers moi. Elle semblait vouloir coopérer jusqu'à la dernière seconde où elle se retourna, prit son élan et confirma l'entourloupe que je redoutais. Mon cœur se serra à nouveau, car j'avais eu le temps de voir ma nymphe piquée juste au bout de sa gueule. Je la suppliai d'être gentille pour une fois, tout en la forçant gentiment à revenir auprès de moi. Il ne fallait surtout pas qu'elle se débatte et je la guidai tout en douceur jusque dans mon filet. Soulagée, je pus caresser la dame en remerciant la haute rivière d'Ain de m'avoir offert ma plus belle prise sur son secteur. Cette zébrée bien grasse ne se fit pas prier pour aller se cacher et je repartis de mon côté la joie au cœur.

Quelques heures plus tard, je dus me résoudre à quitter mon paradis puisque toutes les bonnes choses ont une fin. J'avais poussé mon plaisir jusqu'aux derniers gobages du coup du soir, jusqu'à la nuit. Il me restait deux heures de route pour rentrer chez moi avec de merveilleuses images plein la tête.

Sur la route, je me surpris à rire toute seule en pensant à Simon et à notre mésaventure de la veille. Je songeai d'ailleurs qu'il ne fallait pas que j'oublie de rajouter une corde ainsi qu'une pelle US dans ma voiture et d'acheter une nouvelle laisse pour le chien.

En revanche, il n'y avait aucun risque que j'oublie de retourner dès la semaine suivante sur la haute rivière d'Ain.

* * *

- XV -

La fusée Ariane

Dès le mois d'avril, j'ai pris l'habitude depuis quelques années d'aller dans le département de l'Ain qui tire son nom de la rivière qui le traverse. Le climat plus clément que dans ma vallée alpine, permet de profiter avec un peu d'avance du retour du printemps et de pratiquer de préférence la pêche à vue. A partir de la ville de Pont-d'Ain, les montagnes disparaissent pour laisser place à un immense horizon et la rivière, domptée dans sa partie amont par plusieurs barrages, retrouve enfin son cours naturel. Malheureusement, les brusques baisses de niveau provoquées par les centrales hydroélectriques ont un effet dévastateur sur la faune piscicole. Derrière la fée électricité se dissimule une véritable sorcière maléfique. Quand ce ne sont pas les poissons et les invertébrés qui pâtissent du manque d'eau, ce sont les pêcheurs qui n'ont plus qu'à rentrer chez eux à cause du turbinage. Pourtant, la réputation de la basse rivière d'Ain n'est plus à faire et de nombreux pêcheurs viennent de loin pour taquiner ses ombres et ses truites fabuleuses.

Pour ma part, j'ai aussi été charmée par la diversité des poissons et je prends beaucoup de plaisir à capturer des barbeaux, chevesnes et autres blancs. Lorsque le vent souffle trop fort, j'aime m'aventurer dans les lônes (bras morts) qui me font penser à des mangroves. Pour peu qu'un loriot d'Europe pousse son chant exotique, j'ai vraiment l'impression d'être dans la jungle. Ici, le roi n'a pas de crinière et ne rugit pas. Les seules preuves de sa férocité sont les énormes troncs de peupliers auxquels il s'attaque. Je reconnais avoir eu de bonnes frayeurs en l'entendant plonger, mais la rencontre avec un castor est toujours sympathique. Il n'est pas rare non plus de croiser de très gros brochets dans ces eaux calmes et j'ai toujours, depuis ma première déconvenue avec l'un d'eux, un bas de ligne en fluorocarbone déjà armé d'un streamer dans une poche de mon gilet.

Mais mon objectif principal reste généralement de traquer les grosses truites qui se goinfrent parfois de gammares le long des rives. La densité de ces crustacés est impressionnante et à certains endroits, on peut les ramasser par poignées. Une nuit, nous avons d'ailleurs assisté à un festin incroyable. Nous campions au bord de l'eau et avant d'aller dormir, nous avions décidé d'aller jeter un œil à la rivière. Quelle ne fut pas notre surprise de voir plusieurs grosses truites qui s'empiffraient de crevettes tout contre la bordure. Elles se gavaient sous nos lampes frontales et nos yeux ébahis, nous rendant à moitié fous de ne pouvoir les pêcher puisque l'heure légale était largement dépassée. Bien évidemment, le lendemain matin dès l'aube, nous étions au garde-à-vous avec nos cannes, mais les truites avaient disparu. J'imagine qu'elles devaient être repues d'un tel gueuleton et digérer, calées sous une pierre pour empêcher que leur énorme ventre, gonflé comme un ballon, ne les fasse remonter à la surface. Une telle abondance de nourriture favorise donc une croissance exceptionnelle des poissons, et les truites atteignent rapidement les cinquante centimètres et bien plus.

C'est justement avec l'espoir de prendre une belle zébrée que j'étais retournée au début de l'été, dès le vendredi après-midi, sur la basse rivière d'Ain. Un copain me rejoignit le soir au moment même où je tentais une truite à distance alors qu'il faisait déjà trop sombre. La chose étant déjà suffisamment difficile en plein jour, je dus me résoudre à abandonner faute de lumière. Je vous passe les détails d'une petite truite (de quarante-cinq centimètres) repérée plusieurs semaines avant sous une bordure. Une sacrée maligne celle-là, mais elle succomba samedi matin à une de mes nymphes. Une carpe et d'autres chevesnes ou tanches goûtèrent mon imitation de libellule pour compenser la méfiance et la discrétion des truites. Les coups du soir furent très tardifs et donc plutôt courts. Les ombres, qui d'habitude animent les grands radiers, n'étaient pas au rendez-vous et nous étions un peu déçus du manque d'action.

Du coup, le dimanche matin, nous décidâmes de changer de secteur. Nous étions à l'affût sur un pont et après de longues minutes à ne voir que des barbeaux et des chevesnes, nous aperçûmes enfin une première truite. Nous traversâmes le pont pour jeter un œil en amont. Une très belle zébrée rôdait près de la bordure. A peine quelques minutes plus tard, nous étions au bord de l'eau, le fouet à la main. Je marchais juste devant Julien et au détour d'un buisson, nous tombâmes sur une grosse truite postée au bord. Ne pouvant la pêcher d'où j'étais, je tentais de la contourner le plus discrètement possible. Julien la surveillait pendant ce temps-là et ce n'est que lorsque Argo, ce satané chien fidèle, se décida à me rejoindre que la truite disparut. J'avais oublié de dire à mon pote à quatre pattes de ne pas bouger. Il faut vraiment penser à tout ! Je laissai Julien aller se poster vers l'endroit où nous avions vu la belle zébrée du pont. J'attendis quelques minutes pour voir si la mienne revenait mais, manquant de patience et surtout d'optimisme, je décidai de longer la bordure vers l'aval à la recherche d'un autre poisson à zébrures. L'endroit semblait propice avec de nombreuses caches, mais je ne croisai que deux ou trois barbeaux et quelques chevesnes. Faute de merles... L'un d'eux fut victime du pouvoir irrésistible de la « cuivre ». Au moins, je n'étais pas bredouille !

Après une centaine de mètres, je vis un autre pêcheur à la mouche positionné à l'aval qui fouettait, de l'eau jusque sous les bras en direction de ma berge. Ne voulant pas l'importuner, je jugeai préférable de faire demi-tour et remontai en scrutant le fond de la rivière. La visibilité dans ce sens était bien meilleure et me permettait de voir plus au large. D'ailleurs, en cherchant bien, je distinguai une forme derrière un rocher. Je n'étais pas certaine et ce n'est qu'en trouvant le meilleur emplacement par rapport à la lumière que je fus convaincue qu'il s'agissait d'un poisson. Je ne voyais pas très bien car il y avait du fond à cet endroit, mais à force de regarder cette ombre grise immobile j'en conclus qu'il s'agissait d'une truite. Et pas une petite ! Je distinguais mal la queue, mais il y avait là un sacré morceau que j'estimais finalement à soixante-cinq centimètres au moins.

J'analysai alors la situation. J'avais une ouverture devant moi qui me permettait de lancer en rouler. Malheureusement, je suis loin d'être à l'aise avec cette technique et la truite se trouvait à plus de dix mètres. Après quelques essais laborieux et infructueux, je me décidai à mettre une nymphe un peu plus lourde, car ce poisson posé au fond ne semblait pas décidé à lever le nez. Je multipliai les tentatives entre les risées qui brouillaient la surface, comme par hasard juste à l'endroit où je pêchais. J'accrochai plusieurs fois ma ligne dans les herbes au bord, me maudissant d'être si peu douée. Mes lancers étaient trop courts. J'enrageais de ne pas trouver le geste qui expédierait cette foutue mouche où je voulais. Enfin, ce fut la cerise sur le gâteau quand des kayakistes dérivèrent devant moi en me saluant. Je leur rendis leur « Bonjour ! » avec un sourire forcé et une envie comique de leur jeter des pierres. Le premier eut la bonne idée de dire aux autres de se faire discrets. Je l'en remerciai même si, à ce moment-là, j'étais persuadée que mon poisson avait filé. Je dus attendre que les vagues se dissipent pour me rendre compte que ma truite n'avait pas bougé.

Le vent refit alors des siennes et en attendant qu'il se calme, je regardai Julien plus haut qui avait abandonné sa quête. Je lui fis comprendre par des signes que j'avais un monstre devant moi et me concentrai à nouveau sur mon objectif. Une fois le lisse revenu, ce fut mon téléphone portable qui sonna. La belle invention que voilà ! Décidément, tout semblait jouer contre moi et je sortis l'appareil de ma poche au comble de l'agacement. Comme souvent lorsque je suis à la pêche, je ne prévoyais pas forcément de répondre mais en voyant sur l'écran que c'était mon chéri, je pris finalement le temps de lui parler. Après un bref échange, je raccrochai nerveusement et balançai une fois de plus mon imitation dans les parages de ma truite.

La mouche tomba enfin à l'endroit souhaité, j'estimai sa dérive et fixai maintenant le poisson dans l'attente d'un mouvement. Je m'apprêtais à animer la nymphe lorsque la truite bougea. Elle semblait prendre quelque chose au fond et sachant que ma cuivre coulait bien, je ferrai immédiatement. Ma ligne se tendit et la truite se tordit sur elle-même simultanément. Je ne pensais tellement pas parvenir à ce résultat que ce fut d'abord une énorme surprise. La chose tant espérée paraissait incroyable, mais la tension de la soie qui cintrait la canne et la vision de ce poisson qui se pliait en deux confirmait bien que ce n'était plus un rêve. Je me mis à crier pour informer Julien que le poisson était pendu. Et alors que j'étais bien consciente de ce qui venait de se produire, la fusée décolla. Dans un premier temps, Ariane fonça sur moi et j'appréciai aussitôt d'avoir mon nouveau moulinet « Galaxy », au nom tout à fait de circonstance, qui me permit de rembobiner très rapidement et garder ainsi ma ligne tendue. La truite tourna juste devant moi et lorsque je la vis de si près, j'eus carrément peur. Dotée d'une tête effrayante, elle était vraiment longue, fuselée. Elle se propulsa vers l'amont et dans le feu de l'action, j'oubliai le frêne qui se penchait sur l'eau. Je trouvais le moyen de mettre mon scion à travers les branches au-dessus de ma tête.

Je rageai contre moi-même, certaine de l'erreur fatale : « Oh, quelle bobette je suis ! Nom de nom ! Mais c'est pas possible d'être aussi nulle ! »

Je réussis finalement à dégager la canne, soulagée de toujours tenir la zébrée qui changea de direction. Elle fonçait maintenant vers l'aval et cette fusée devait avoir un autre réacteur car elle venait d'accélérer doublement. Elle s'envola en direction d'un énorme amas de branches qui n'était encore qu'à des années-lumière, mais je paniquai totalement. Je savais que mon frein était complètement desserré et ce départ foudroyant m'impressionna tellement que j'imaginais déjà Ariane atterrissant dans le tas de bois. Je ne trouvai rien de mieux que de vouloir essayer de freiner légèrement la bobine du moulin. Quelle drôle d'idée ! Quelle inconscience ! A peine avais-je effleuré la bobine du doigt que la sanction fut immédiate. Ariane venait de sortir de son orbite. Je perdis le contact et mon bas de ligne vint se poser lamentablement dans mes pieds. Soudain, ce fut le trou noir, le néant. Toute la pesanteur de l'univers s'écrasa sur moi... Mes jambes devenaient toutes molles alors que Julien me rejoignait. Je lui dis avec un sourire contrarié que j'avais envie de pleurer. Je n'en fis rien, même si au fond de moi, la déception était gigantesque.

Dépitée, je récupérai ma ligne et constatai que j'avais cassé au dix-huit centièmes. Je devais admettre la négligence d'un défaut sur ce brin. J'aurais dû vérifier ma ligne avant d'attaquer un tel poisson. Je m'en voulais terriblement de n'avoir contrôlé que ma pointe. Une leçon qui, malheureusement, n'était pas la première. Du coup, je racontai toute la scène depuis le début à Julien, car il n'avait rien vu. Je lui expliquai tout en détail, le temps que j'y avais passé et mon obstination. J'étais toujours surexcitée en lui décrivant cette truite fabuleuse et ce qu'il venait de se produire. En parlant, je m'occupais nerveusement à refaire ma ligne. Je tremblais même encore en faisant machinalement mes nœuds barils. Puis, arrivant à la fin de mon histoire, la déception redevint pesante. Les remords me serraient la gorge et Julien, en entendant ma voix chevroter, essaya de plaisanter : « Ben, t'as qu'à faire comme moi et ne pas piquer de truite ! » Je ris de bon cœur, car il est bien meilleur pêcheur que moi et je pouvais m'estimer heureuse d'avoir été plus en réussite depuis le début du week-end. Je me consolai en me disant que j'étais bien contente d'être parvenue à faire croquer ce poisson et que les sensations qu'elle m'avait données m'avaient déjà comblée.

Aujourd'hui, je m'en veux encore d'avoir tenté de ralentir cette fusée en pleine accélération. Cette truite et d'autres échecs du même genre restent ancrés dans ma mémoire. La déception fait partie du métier. Je dirais même qu'on est plus riche des poissons qu'on a ratés que de ceux que l'on est parvenu à dompter. Le souvenir et les émotions n'en sont que plus forts. Les erreurs sont faites pour progresser. Ariane m'aura appris qu'il ne faut jamais rien laisser au hasard. Un bas de ligne qui tient (sa truite) vaut mieux que deux tu l'auras (toujours la truite).

* * *

- XVI -

La truite en amoureuse

Je conduisais ce matin-là en direction de Vallorcine, le cœur léger et pourtant comme prêt à exploser. Cela faisait une semaine que je vivais une nouvelle aventure amoureuse. Nous nous étions rencontrés à la fête de la pêche l'année précédente et lorsqu'il m'avait révélé son métier de guide de pêche, j'avais tout d'abord éclaté de rire. Je n'avais jamais entendu parler d'une telle profession, mais l'idée de partager ma vie avec un expert de ma passion avait germé dans mon esprit dès le soir même.

J'avais immédiatement été charmée par la gentillesse et les yeux bleus de Marc, mais je ne pensais pas que l'on se reverrait. Il faut croire que le hasard fait bien les choses puisque des mois plus tard, nos chemins se sont croisés à nouveau et pour l'occasion, le destin nous a envoyé Cupidon armé d'un hameçon.

C'est donc avec des papillons dans le ventre et des songes de pécheresse que je roulais sur la route sinueuse qui va de Chamonix, la fameuse ville au pied des glaciers du mont Blanc, jusqu'à Martigny en Suisse. Lorsque j'arrivai au col des Montets, je ralentis dans l'espoir d'apercevoir un bouquetin sur les versants proches de la route. Mais quand je vis les nombreuses voitures sur le parking attestant de la présence de centaines de randonneurs déjà partis à l'assaut du massif des Aiguilles rouges, je me ravisai, car si le bouquetin est certes moins farouche que son cousin le chamois, il apprécie tout de même une certaine tranquillité.

J'accélérai donc à nouveau pour descendre dans la vallée des Ours qui a donné son nom au joli village de Vallorcine. Il y a bien longtemps qu'il n'y a plus de plantigrade dans cette vallée, à part peut-être quelques locaux qui ont hérité du caractère ronchon de l'animal.

Peu après, je quittai la route principale pour traverser l'un des premiers hameaux en direction de la rivière.

L'Eau noire prend sa source au col des Montets à environ 1 400 mètres d'altitude, mais dès le hameau du Buet, elle reçoit les eaux bien plus importantes de l'Eau de Bérard qui descend de la vallée du même nom. Je garai la voiture à l'endroit même où Marc m'avait emmenée quelques jours auparavant pour ma première leçon de pêche à la mouche en torrent. J'étais impatiente de mettre à profit les précieux conseils qui m'avaient permis d'attraper mes premières truites en eaux rapides. En ce mois de juillet, le soleil était déjà haut dans le ciel et les montagnes proches se découpaient avec une netteté incroyable sur un fond bleu uni. J'attrapai rapidement mon gilet et ma canne, pressée d'affronter les monstres de l'Eau noire. Ici, pas besoin de cuissardes ni de pantalons de pêche : la rivière, encore près de sa source, est si peu large qu'on pourrait presque la franchir d'un bond. J'exagère un peu, car elle fait tout de même deux ou trois mètres et n'étant pas une championne d'athlétisme, je serais certaine de me vautrer dans l'eau si je tentais le saut.

Il est donc complètement inutile de se mouiller les pieds pour taquiner les truites sauvages qui l'habitent et quelques petits ponts de bois permettent de la traverser.

L'eau limpide court dans les prés tourbeux depuis le col. Elle chante à voix basse, c'est comme une berceuse, en se faufilant entre les rochers recouverts de lichens et les « varoces » (le nom patois des aulnes verts). Sur son lit de granit, la rivière déploie ses méandres à travers les herbes hautes et les grandes fleurs de montagne en creusant parfois sous les racines d'un épicéa.

Pour monter ma canne, j'avais choisi l'endroit où nous avions pique-niqué la dernière fois à l'ombre d'un grand mélèze. J'enfilai la soie dans les anneaux en surveillant du coin de l'œil le courant à quelques mètres de moi. Je ne mis pas longtemps à choisir une mouche puisque je n'avais encore qu'une toute petite boîte ronde à huit compartiments dans lesquels se serraient quelques horreurs montées par mes soins. Il y avait déjà bien longtemps que j'avais perdu la vingtaine de « vraies » mouches qu'on m'avait offerte à mes débuts, un peu plus d'une année auparavant. La plupart ornaient d'ailleurs un grand arbre au bord d'un lac de plaine où je m'exerçais habituellement. J'avais appris à pêcher à la mouche toute seule. J'avais apprivoisé le fouet que l'on m'avait offert tant bien que mal en essayant de lancer en suivant la leçon des « quatre temps » du père Maclean dans le film *Et au milieu coule une rivière*.

Le film était à l'origine de mon envie de pêcher à la mouche, comme pour de nombreux autres pêcheurs.

A vrai dire, j'ai vite oublié le métronome imaginaire et enchantée par le sifflement de la soie, j'ai appris à fouetter de façon intuitive. J'étais bien loin de la double traction, mais largement satisfaite de pouvoir lancer à une distance raisonnable. Ayant un budget plutôt restreint, j'avais investi dans un minimum d'outils de montage. J'avais ressorti une vieille boîte à couture oubliée au fond d'un tiroir et dont les bobines de fils de couleur trouvèrent enfin un emploi comme soie de montage. Je ramassais des plumes lors de mes balades ou mieux encore, les prélevais directement sur les poules d'un ami. Je mis aussi quelques coups de ciseaux dans la fourrure de mon chien.

Je n'avais aucune connaissance entomologique mais énormément d'imagination et j'arrivais à créer des mouches horribles qui, avec beaucoup de graisse, flottaient malgré tout et prenaient même quelques poissons. Mais ce jour-là, je n'hésitai pas une seconde avant de choisir une sauterelle en montage parachute que Marc m'avait donnée la dernière fois et qui s'était révélée très efficace.

Je ne me souviens pas avec exactitude du nombre de truites que j'ai réussi à attraper. J'en ai certainement loupé plus que j'en ai piqué, mais j'ai encore en mémoire les éclaboussures et la joie qui m'envahissait à chaque prise. Au début, je ferrai, trop fort et mes réflexes ont fait décoller quelques truitelles, dont certaines atterrissaient dans l'herbe derrière moi. Il faut dire aussi que sur ce secteur en altitude, les farios de l'Eau noire ne sont pas très grosses et même plutôt petites. La plupart atteignaient difficilement les 20 centimètres, mais la taille avait peu d'importance puisqu'elles étaient si jolies, ces truites sauvages bien dodues avec leur robe parée de points rouge vif rappelant les airelles qui poussent dans les forêts environnantes. Certaines avaient le ventre jaune assorti aux trolles des montagnes, fleurs ressemblant à d'énormes boutons d'or qui ornent les prairies alpines. Il n'y en avait pas une semblable à l'autre et je m'émerveillais devant chacune d'entre elles. Par chance, elles étaient bonnes joueuses puisqu'il suffisait d'être un minimum discret et de poser une mouche presque n'importe où pour qu'un éclair doré monte s'en saisir à la vitesse de la lumière. J'avais l'impression qu'il y avait une truite derrière chaque pierre, à la fin de chaque courant.

Marc m'avait aussi montré comment les pêcher en nymphe. J'ignorais jusque-là qu'une multitude d'insectes à l'état de larves peuplent les rivières. Cela m'avait d'ailleurs enfin éclairé sur l'utilité d'une nymphe qu'un pêcheur m'avait donnée avec beaucoup de gentillesse, mais sans plus d'explications, lors d'une brève rencontre au bord d'un lac de montagne. La mouche en question a dormi de longs mois au fond de ma boîte sans que je sache réellement comment l'utiliser. Brad Pitt ne pêchant qu'en sèche dans le Montana, j'en étais restée à cette unique technique.

Et lorsque mon guide retourna quelques pierres de la rivière en m'expliquant les bases d'entomologie indispensables à tout pêcheur à la mouche, ce fut une véritable révélation. J'étais vraiment passée à côté de l'essentiel mais à part certains pêcheurs et quelques hydrobiologistes, qui sait vraiment qu'il y a toutes ces petites bêtes qui grouillent sous les pierres ? Qui sait que le moindre ruisseau représente un microcosme et que les poissons ne sont pas les seuls habitants subaquatiques ? Cela ne faisait qu'accroître ma curiosité et m'offrait de nouvelles ruses pour attraper les truites qui boudaient parfois la surface. Désormais, avec une nouvelle flèche à mon arc, j'armai ma canne d'une mouche lestée d'une bille dorée et m'appliquai à la faire dériver à la même vitesse que le courant. Bien sûr, je ne comprenais pas encore toutes les subtilités de cette nouvelle technique mais lorsque mon fil s'arrêtait et qu'ayant ferré avec succès, je voyais sauter une petite fario, j'étais subjuguée par l'efficacité de la pêche à la nymphe.

Évidemment, tout n'était pas si simple que j'ai l'air de le dire, car je faisais aussi de nombreux nœuds et j'avais souvent l'impression de passer plus de temps à démêler qu'à pêcher. Je laissai aussi quelques mouches dans les arbres qui bordent la rivière et fis le constat que les branches d'épicéa sont les plus redoutables. Il était rare que ma mouche tombe à l'endroit souhaité et bien souvent, elle accrochait des herbes sur la berge opposée, des pierres au fond de l'eau mais, de temps en temps aussi, des poissons. La nymphe réussissait à convaincre les farios les plus récalcitrantes de sortir de sous les berges et je réalisai alors toute l'importance d'une telle découverte.

En cette belle journée d'été, je me souviens d'avoir même eu la chance de prendre une truite énorme. Elle faisait vingt-cinq centimètres et je tenais là mon premier poisson trophée. J'aurais pu la garder pour la manger puisque c'est encore ce que je faisais habituellement, mais bizarrement, il y avait tellement de magie autour de cette petite rivière que j'aurais eu l'impression de casser le charme. J'avais ressenti une joie nouvelle à relâcher les autres plus petites et le plaisir de regarder ce poisson s'enfuir vers sa liberté ne faisait qu'ajouter à mon bonheur.

Je n'avais sans aucun doute jamais attrapé autant de poissons à la mouche dans une seule et même journée. J'avais arpenté les berges de long en large et en travers par les petits ponts de bois. J'étais souvent revenue sur mes pas afin de tenter à nouveau les truites que j'avais manquées. Les heures étaient passées très vite et je n'avais pas vu le temps s'écouler.

Marc n'allait pas tarder à me rejoindre et j'avais hâte de lui raconter mes exploits. Nous avions rendez-vous près du grand arbre où j'avais commencé à pêcher et, bien que pressée de le retrouver, je ne pus m'empêcher de taquiner encore une petite fario qui s'était fait remarquer par son gobage. Le temps de remettre une mouche sèche et de faire un poser, mon amoureux me surprit agenouillée dans les herbes hautes. La truite goba au même moment et je ne fus pas peu fière de la piquer sous le regard confiant de

mon guide. Je riais comme une gamine en lui montrant ma
dernière prise miniature et lui avouai déjà que c'était bien
grâce à lui si j'avais passé une si belle journée.
Nous nous empressâmes d'aller nous asseoir sous le grand
mélèze afin que je lui raconte en détail mes prouesses
halieutiques avec les reines de l'Eau noire, dans la vallée
des Ours. En réalité ce n'était que le résumé du début
d'une belle histoire d'amour, de pêche et de truites.

* * *

- XVII -

Le corbillard de la Vis

Cela fait maintenant une douzaine d'années que je travaille dans la même usine et j'ai pris l'habitude de poser deux semaines de congés au mois de juin. Les journées sont les plus longues et j'ai le sentiment de pouvoir profiter au maximum de ma passion. Déjà bien avant de fréquenter Marc, mes vacances étaient consacrées à la pêche, à la différence que je restais généralement près de chez moi. Avec mon guide, c'est vite devenu un prétexte pour aller visiter d'autres rivières plus lointaines.

Cette année-là, nous avions décidé de naviguer au gré de quelques rivières sélectionnées dans le sud de la France. Nous avions commencé par découvrir la Sorgue dans le Vaucluse, mais bien que la rivière soit magnifique et poissonneuse, le mistral, les canoës et les panneaux « Propriété privée » qui poussent un peu partout et empêchent bien des accès nous ont rapidement donné envie d'aller voir ailleurs. Même les canards qui pullulent avaient fini par nous agacer, car ils avaient le chic pour venir se poser devant nous dès qu'on approchait de l'eau. Nous avions donc pris la route pour rejoindre la Vis, rivière cévenole qui est réputée pour la limpidité de ses eaux et son cours sauvage pour la partie amont. Sur les conseils d'un ami, nous ne nous sommes pas attardés sur le bas même si quelques arrêts dans les gorges nous ont permis d'admirer la rivière. Enfin, nous sommes arrivés au village de Madières en milieu de matinée.

Puisqu'à cette époque de l'année, les touristes n'avaient pas encore envahi les routes, Marc s'est arrêté au milieu du pont du hameau pour jeter un œil à la Vis, qui coule une vingtaine de mètres en dessous. J'appréciai la vue des jolies maisons de pierres aux toitures en tuiles disposées en étages des deux côtés de la rivière et nous avons décidé d'aller voir ce village de plus près.

Marc a redémarré le camion et alors que nous arrivions au ralenti au bout du pont, nous avons vu un vieux monsieur se hâter vers nous comme s'il nous attendait, en nous faisant de grands signes pour nous indiquer de venir vers lui. C'est en découvrant l'attroupement et l'église que nous avons compris qu'il nous prenait pour le corbillard. Nous avions un fourgon bleu marine vitré auquel Marc avait ajouté des rideaux blancs et comme tous ces gens étaient là pour un enterrement, pour le vieux monsieur, il n'avait pas fait de doute que nous étions le corbillard qu'il attendait. Très gênés, nous lui avons dit qu'il s'agissait d'un malentendu et nous avons attendu d'être suffisamment éloignés pour éclater de rire. On s'était déjà moqué de notre camion en le comparant à un fourgon mortuaire et les chambreurs avaient raison. Du coup, même si nous avions trouvé cela plutôt comique, nous avons attendu planqués (et pour la circonstance, morts de rire) que le vrai corbillard arrive et que tout le monde soit dans l'église avant de repasser dans l'autre sens et enfin aller à la pêche.

La rivière était telle qu'on nous l'avait décrite, d'une clarté incroyable au point qu'on avait parfois l'impression que les poissons étaient suspendus dans l'air. Je réalisai rapidement que le vendeur d'un célèbre magasin de pêche de L'Isle-sur-Sorgue auquel j'avais demandé conseil pour la Vis, ne s'était pas moqué de moi en me disant qu'il me faudrait une tenue de camouflage et me barioler le visage de cirage pour espérer approcher une truite. En effet, les farios sauvages paraissaient dotées d'une vision exceptionnelle et même d'un sixième sens (en admettant qu'elles en aient cinq à la base comme nous), car elles semblaient deviner notre présence alors que nous étions encore bien cachés par la végétation. Presque toutes disparaissaient avant même que l'on ait pu tenter quoi que ce soit.

Je n'avais que très peu d'expérience en nymphe à vue que je ne pratiquais encore qu'à l'arbalète et ce fut une énorme difficulté que d'essayer d'approcher ces satanées truites. Sans compter que la végétation dense et épineuse ne nous faisait pas de cadeau : un véritable calvaire. Par exemple, au début, je trouvais très joli cette espèce de lierre avec des feuilles en forme de cœur, mais je dus constater rapidement que ses épines sont féroces et que la résistance de ses lianes arrêterait un sanglier en pleine course. Or, nous nous étions vite rendu compte qu'il était préférable d'éviter au maximum de rentrer dans l'eau sur certains lisses sous peine de faire fuir toutes les truites à la ronde.

Le premier jour, puisqu'il faisait beau, nous avons laissé les waders au camion et pêché en pantalons légers. Mais la température de la Vis, très fraîche, m'a fait regretter ce choix. Une très belle truite gobait en faisant un circuit complètement aléatoire et j'avais trempé une bonne demi-heure jusqu'à la taille dans l'espoir de pouvoir lui poser une sèche sur sa trajectoire. Mais le poisson totalement imprévisible et l'eau trop froide me forcèrent à abandonner complètement frigorifiée. Entre-temps, le ciel s'était voilé et je suppliais Marc de retourner au camion.

Nous nous étions installés sur une aire dédiée aux camping-cars complètement déserte où nous laissions même notre toile de tente en place la journée. Nous avons pu ainsi pêcher durant quatre jours sans croiser personne. La rivière nous ravissait par la belle couleur émeraude des zones profondes et la limpidité de ses eaux sur les radiers. Les truites étaient nombreuses et nous profitions d'une bonne période où celles-ci chassaient les vairons. Je n'oublierai jamais ce jour où je suis restée un long moment à observer un gang de truites qui, de manière très organisée, longeait sur une dizaine de mètres une dalle de calcaire en file indienne. Dès qu'elles atteignaient le bout de la roche, elles se déployaient pour encercler une frayère de vairons et comme si l'une d'entre elles avait émis un signal de départ, elles fonçaient alors dans une attaque simultanée sur leurs victimes. J'en voyais certaines mâcher leur proie et ensuite redescendre afin de se replacer derrière les autres qui s'alignaient déjà le long de la pierre. Entre-Temps, les vairons dispersés par l'assaut se réunissaient de nouveau sur leur nid et tous les éléments semblaient parfaitement synchronisés pour un nouvel assaut. J'étais épatée par la coopération de ces farios et savourai longuement le spectacle de leur manœuvre. Par la suite, j'ai vu d'autres truites chasser en bande mais jamais avec une telle discipline. Je tentai de profiter de la situation pour introduire discrètement un streamer au milieu du champ de bataille mais les zébrées ne furent pas dupes. Elles repérèrent l'intrus dès sa première apparition et délaissèrent les vairons pour aller se cacher sans panique sous la grande dalle.

Cela devenait pour moi un véritable casse-tête d'attraper une truite à l'arbalète. Je rageais en me déplaçant à travers une végétation hostile. Les ronces et divers buissons épineux m'agressaient de toute part sous un soleil de plomb sans que je puisse approcher un poisson sur les bordures. Finalement, je choisis de pêcher les cachettes, histoire de m'amuser un peu. Je laissai descendre ma nymphe devant les nombreuses caches et réussis ainsi à piquer quelques jolies petites zébrées à la robe charbonnée. J'ai toujours adoré cette pêche à effet de surprise. On a beau espérer qu'un poisson surgisse, on s'y attend pourtant, mais c'est à chaque fois un coup au cœur lorsque la truite apparaît.

Il n'y a pas grand mérite à ferrer un poisson dans ces conditions, mais cela a néanmoins l'avantage d'être efficace et permet de décompresser après de trop nombreux échecs. Et je peux vous garantir que cela m'a évité quelques crises de nerfs. A certains moments, je maudissais cette rivière trop belle, trop claire et ses truites trop sauvages. Marc semblait lui aussi éprouver quelques difficultés en nymphe à vue, ce qui quelque part me forçait à mieux accepter mes déboires. De toute manière, il était hors de question que j'abandonne la partie et que l'on troque notre temps de pêche contre une promenade touristique.

Il faut croire que je suis d'ailleurs têtue puisque je m'obstinai quand même à essayer de leurrer une truite récalcitrante deux jours de suite en y passant presque une heure à chaque fois. Je dois dire qu'elle était d'une taille largement supérieure à la moyenne et me permettait de la taquiner de longs moments. Je l'avais repérée alors qu'elle faisait son circuit le long d'une bordure dans très peu d'eau. La première fois, après avoir observé ses habitudes, j'avais attendu qu'elle reparte vers l'aval et je m'étais installée à l'endroit le moins ronceux, sous un figuier où j'attendais son retour, ma nymphe posée sur le fond. Assise en tailleur, la tête enfoncée dans les épaules, je guettais la belle qui ne mit pas longtemps à réapparaître. Elle piochait de bon cœur des larves entre les graviers et à la voir faire, j'étais persuadée de l'aboutissement victorieux de mon plan. Lorsque le moment me parut propice, je fis décoller mon gammare du fond, la truite fonça dessus et alors que j'étais sur le point de ferrer, elle s'arrêta net et contourna l'imitation. Elle mit un coup de museau contre une pierre à la recherche de vrais insectes, puis continua son circuit sous mes yeux agacés. N'osant bouger, je la surveillai du coin de l'œil et, concluant qu'elle n'était pas effrayée, j'attendis qu'elle s'éloigne suffisamment pour changer de mouche. Cette satanée truite m'a refait le même coup je ne sais combien de fois et moi, têtue comme une mule je persistai dans ma stratégie, certaine qu'elle finirait par se laisser tenter, la défiant de se lasser avant moi.

La belle poussait parfois le vice jusqu'à s'arrêter juste devant moi durant d'interminables minutes. Je n'avais d'autre choix que de rester immobile en considérant que j'étais chanceuse de pouvoir l'admirer de si près, même si le frémissement de ses nageoires pectorales indiquait qu'elle m'avait bien vue. C'était à se demander qui regardait l'autre. Lorsqu'elle reprenait sa ronde, j'étais soulagée de pouvoir éviter une crampe mais à son retour, elle faisait encore exprès de contourner l'endroit où j'avais envoyé ma nymphe.

La maligne finit par me persuader qu'elle aurait le dernier mot et je décidai de m'éloigner discrètement. Je continuai cependant à l'espionner d'un peu plus loin et constatai qu'elle reprenait à nouveau son premier circuit. Je n'avais plus aucun doute sur le fait qu'elle connaissait parfaitement le poste et avait donc intégré ma présence. Je l'estimais sacrément sûre d'elle pour m'avoir narguée aussi longtemps, mais je ne m'avouai pas vaincue pour autant.

Je cherchai alors un autre endroit d'où l'attaquer par surprise. Un fourré quelques mètres en aval me sembla le poste idéal. J'étais certaine en rampant à travers ces ronces que personne ne s'était jamais faufilé ici et me préparai à surprendre ma truite. Je savais que je n'avais droit qu'à une seule tentative et heureusement, ce fut la bonne. La belle aspira la nymphe sans rechigner et quelques minutes plus tard, je m'enorgueillissais de l'avoir dans mon épuisette. Cette jolie truite dorée comme un lingot représentait un véritable trésor de la rivière et une belle récompense à mon obstination. Je la relâchai sans tarder avec le doux surnom de « Vicieuse » et la certitude qu'elle vivrait de longs jours heureux.

Ce fut ma seule réussite remarquable en nymphe à vue sur la Vis. Les journées me semblaient parfois longues, car les poissons mettaient mes nerfs à rude épreuve. Heureusement, dès la fin d'après-midi, les éclosions d'éphémères incitaient les truites à gober avec beaucoup moins de méfiance. Nous pouvions alors profiter de leur frénésie pour multiplier les prises. Et lorsqu'à la nuit étant tombée, nous entendions encore les gobages, il était très difficile de repartir au camp.

Nous gardons un souvenir mémorable de ces coups du soir où la rivière bouillonnait sous les retombées de mannes.

Le jour du départ, lorsque nous sommes passés devant l'église de Madières à bord de notre corbillard, nous avons été soulagés de constater que personne n'était enterré ce matin-là.

* * *

- XVIII -

La manne du Tarn

Chose promise, chose due ! Nous avions tellement aimé nos vacances dans les gorges du Tarn et les environs de Millau l'année précédente que nous nous étions juré d'y retourner. Il faut dire que le profond canyon qui traverse les Causses est d'une beauté exceptionnelle. Nous avions eu le culot de planter notre tente au bord de la rivière, sur le terrain d'une base de canoë-kayak abandonnée. En plein milieu des gorges, c'était une chance inestimable. Ce campement sauvage au bord de l'eau, au pied des grandes falaises de calcaire, nous avait laissé un souvenir inoubliable. Tout comme le coup de soleil que nous avions pris, car j'avais eu la merveilleuse idée de parfaire notre bronzage « agricole » les derniers jours. Pour une fois, nous étions d'accord pour sacrifier une journée de pêche et profiter le lendemain d'une descente en canoë. Rouges comme des écrevisses, nous avions dû renoncer à nous exposer davantage au soleil et nous consoler de quelques barbeaux pêchés à l'ombre de grands arbres.

En parlant d'écrevisses, nous avions pris soin cette fois-ci d'emmener une grosse marmite. Dès le premier soir, nous sommes retournés au bord de la Dourbie où l'été précédent, nous avions remarqué une belle colonie de "pattes rouges". Nous avons retrouvé avec plaisir le coin paradisiaque qu'un ami nous avait montré au bord de cet affluent du Tarn. Rien n'avait changé au bout du chemin caché qui mène à la rivière. Comme la toute première fois, nous nous sommes extasiés devant ce rocher énorme, en forme de pyramide fendue en deux, qui surplombe un magnifique radier.

Il n'y avait pas de temps à perdre, car l'après-midi tirait à sa fin et nous devions encore pêcher notre repas du soir. Pendant que Marc préparait des lignes de fortune, j'avais mission d'attraper un chevesne. L'affaire qui semblait simple au départ se compliqua car, par malchance, je ne prenais que des truites. Or, le but n'était pas de manger du poisson, mais plutôt de s'en servir comme appât. Je ne pouvais me résoudre à sacrifier une de ces jolies farios et à force d'insister, je réussis enfin à capturer un gros cabot. Mon chéri avait terminé d'attacher chaque ligne lestée par un gros plomb à une branche de noisetier. Il entreprit alors d'accrocher une moitié du poisson fraîchement pêché au bout de chaque canne tandis que je fabriquais avec une autre branche une rallonge pour l'épuisette. Le temps d'enfiler nos waders et nous étions enfin prêts pour la quête des écrevisses. Une fois notre appât posé au fond de l'eau, il ne fallut pas attendre longtemps pour voir les premiers crustacés rappliquer toutes pinces dehors. De l'eau jusqu'à mi-cuisse, heureux de voir notre plan se dérouler à merveille, nous nous amusions comme des gamins. L'un s'occupait de glisser l'épuisette sous le bout de poisson recouvert d'écrevisses que l'autre soulevait en douceur. Marc riait de me voir au milieu de l'eau, avec ma canne de fortune dans la main droite et tenant la grosse marmite en inox de l'autre main. Il fallut un peu plus d'une heure pour remplir le grand récipient et la nuit commençait à tomber. La pêche avait été fructueuse, mais il nous restait à préparer le camp et à faire la cuisine.

Une fois la table installée et après avoir aidé à châ-trer les crustacés, je laissai mon chef cuisinier s'occuper de la cuisson au court-bouillon. Puisqu'il n'y avait pas de risque d'incendie, j'en profitai pour allumer un feu qui ajouterait du charme à notre fête. Ce fut un véritable festin ! Nous avions poussé la gourmandise jusqu'à agrémenter nos écre-visses d'un beurre blanc et chaque bouchée était un vrai dé-lice. En commençant ce gueuleton en pleine nature, nous eûmes une pensée émue pour nos amis avec qui nous aurions aimé partager ce repas gargantuesque. Nous avons d'ailleurs tenté à nouveau l'expérience l'année suivante avec notre co-pain Julien. Nous lui avions tellement parlé de ce festin qu'il se moque encore de cette soirée où nous regardions tous les trois une dizaine d'écrevisses se battre en duel dans la casse-role. La pêche avait été moins bonne...

Après notre festin, nous avons pêché quelques jours la Dour-bie réputée pour ses truites sauvages et ses eaux cristallines. La beauté de ses gorges n'a rien à envier à celles du Tarn. Je ne me lassais pas d'admirer les falaises vertigineuses qui s'élèvent autour de la rivière. La tête en l'air au milieu du courant, j'en étais parfois étourdie de suivre des yeux le vol majestueux des grands vautours. Les truites, quant à elles, étaient toutes des sauvages.

Si les eaux claires permettent aisément la pratique de la nymphe à vue, nous avions peu de succès à essayer de fein-ter les plus grosses farios. Peu importe, les truites d'une taille tout à fait respectable étaient nombreuses et c'était un grand plaisir de les prendre en sèche.

Il fallut tout de même se résoudre à quitter cette jolie vallée pour se ravitailler du côté de Millau. Après quelques courses rapides dans un supermarché, nous avons cherché un endroit à la sortie de la ville au bord du Tarn. Nous avons trouvé notre bonheur à l'écart de la civilisation, sous des grands arbres au bord de l'eau. Le lieu était idéal pour un pique-nique. Assis sur une berge en hauteur, nous avions tout loisir de contempler la rivière et les poissons qui défilaient sous nos pieds. En mangeant, nous profitions d'un véritable aquarium où se promenaient d'énormes chevesnes, des barbeaux, des tanches et même de très belles carpes. Mais bon, nous étions bien décidés à ne pas interrompre notre déjeuner pour quelques poissons blancs. Nous discutions de la suite des événements quand il y eut d'un seul coup un retournement de situation. Une truite d'une soixantaine de centimètres remontait le long de la berge sous nos pieds. Alors celle-ci, on peut dire qu'elle nous a coupé le sifflet ! Ébahis, nous la regardions sans bouger. La grosse fario semblait à l'affût de la moindre larve et je ne pus m'empêcher de jurer entre mes dents :

– Oh, la garce ! Et en plus elle cherche !

Je sais que ce n'est pas très joli de la part d'une fille, mais mon commentaire se voulait à la mesure de la provocation. Cette vaurienne semblait nous narguer pendant qu'il nous fallait rester immobiles. Heureusement, elle continua son chemin et dès que nous fûmes sortis de son champ de vision, je sautai en arrière pour courir chercher ma canne dans le camion. Marc ne fut même pas étonné de ma réaction et me demanda en plaisantant si je voulais reprendre de la salade.

– Non merci, mon chéri, je crois que je n'ai plus faim ! » Il me fit justement remarquer que je n'avais rien mangé, mais c'était déjà trop tard. J'étais repassée en mode « traque » et mon gilet de pêche déjà enfilé, j'attrapai ma canne. Marc me regarda partir en trottinant et pour me taquiner me proposa du fromage. J'éclatai de rire :

– Tu crois que je vais troquer ma chance contre du fromage ? Non, mais t'es fou, toi !

Et je disparus plus loin sous les arbres. J'avais relativement bien estimé la distance parcourue par mon poisson, mais

j'arrivais dessus juste un poil trop tard. Je cherchai un autre poste en amont, mais elle me devançait encore d'à peine quelques secondes. La course était engagée sur une bordure encombrée et je courais comme une dératée entre les rares ouvertures dans la végétation. Je me griffais les bras à toutes les ronces, évitant de justesse de me retrouver à plat ventre à cause d'une racine sournoise. J'arrivai finalement dans un carré d'orties, heureuse d'avoir doublé ma truite vagabonde. Elle ne tarda pas à pointer le bout de son nez et quelques secondes plus tard, ma nymphe y était plantée. N'appréciant pas du tout ce piercing, la fario me fit plusieurs chandelles. Elle sauta même avec tellement d'élan que j'ai bien cru qu'elle allait atterrir sur les branches d'un saule au-dessus de l'eau. Elle était complètement tarée ! Et moi, affolée ! La berge était haute et il y avait pas mal de fond. Je me laissai glisser sur les fesses à travers les orties pour poser les pieds au ras de l'eau. La truite accepta finalement de se calmer et je réussis à l'épuiser en équilibre sur une pierre glissante. J'ai bien eu peur de passer à l'eau sur ce coup-là. Je criai, je sifflai pour appeler Marc qui s'empressa de me rejoindre. Il me retrouva les bras tout rouges et tout griffés, mais j'affichais un air radieux. J'avais pris soin de bien oxygéner ma prise que je lui montrai avec fierté. Elle avait une robe magnifique avec une multitude de points noirs. Même si elle n'atteignait pas tout à fait la taille estimée, c'était un très beau poisson. J'étais comblée et d'humeur à plaisanter.
– Mon chéri, je crois que j'ai un petit creux. En fait, je mangerais bien un bout de fromage !

Nous ne pensions pas à vrai dire qu'il y avait de si belles farios sur ce secteur du Tarn. Du coup, nous avons pris la direction opposée aux gorges pour prospecter plus en aval. Une bonne idée, car cette rivière nous a donné de grandes émotions. Les truites n'étaient pas majoritaires mais souvent de très belle taille. Sur un parcours no-kill, elles étaient certes un peu capricieuses, mais sur d'autres bordures plus sauvages, nous les trouvions plutôt bonnes joueuses. Et puis, quelle robe ! Quelle combativité ! Nous privilégions la pêche à vue et j'ai eu plus d'une fois le souffle coupé par l'apparition surprise d'une de ces grosses farios.

Nous étions enchantés par notre changement de programme surtout que le dernier soir, nous avons assisté à une éclosion massive. Nous ne nous attendions certainement pas à un tel spectacle ! C'était tout à fait incroyable de voir ces nuées de grandes éphémères. Le comble du pêcheur, c'est qu'il y en avait trop et il devenait inespéré qu'un poisson prenne notre imitation. Nous restions hallucinés devant l'amas de ces mouches qui formaient de grandes nappes blanches à la surface de l'eau. Après la tombée de la nuit, nous avons pataugé encore longtemps comme des gosses excités par la neige. Nous nous amusions avec les milliers de fées qui nous recouvraient, attirées par la lumière de nos frontales. Le bruissement des ailes ressemblait à un chuchotement surnaturel. Plus tard, nous avons quitté la rivière avec la sensation d'avoir été les témoins privilégiés de la providence. Ces éphémères portaient bien leur surnom de « mannes ».

Le lendemain, la chose nous paraissait encore tellement irréelle que nous croyions avoir déliré. De retour à la maison, je retrouvai une poignée d'éphémères dans mes waders et l'accroche-mouches de mon gilet. Cette éclosion n'était donc pas un songe, tout comme ces truites fabuleuses qui hantent encore mes rêves. A ce qu'il paraît, ils font du très bon fromage par là-bas. J'y retournerais bien pour le goûter !

* * *

- XIX -

C'était la Loue

J'étais arrivée à Ornans en fin d'après-midi après avoir passé quelques jours seule dans le Jura. Du haut d'un muret, je découvrais la Loue, la fameuse rivière franc-comtoise pour la première fois. Or, même si j'étais heureuse d'y voir quelques truitelles, j'éprouvais une sorte d'amertume en songeant aux diverses pollutions qui avait décimé les populations de truites et ombres de ce cours d'eau. Je constatai d'ailleurs que le fond était envahi par de vilaines algues, ce qui ne faisait qu'accroître mon regret de n'être pas née vingt ans plus tôt. Ainsi, c'est avec un profond sentiment de nostalgie que j'attendais Marc sous une chaleur écrasante. Lorsqu'il arriva, nous quittâmes sans tarder la ville qui en ce début du mois d'août, grouillait de touristes. Je dois dire qu'après une longue session de pêche en solitaire, à dormir isolée dans la forêt et à ne parler qu'à mon chien, la transition avec le monde agité est toujours un peu difficile. J'étais donc contente de fuir la foule estivale et j'avais surtout hâte de faire connaissance avec les poissons de cette rivière mythique.

Nous avions décidé de nous rendre sur le célèbre parcours chez Sansonnens. Après plusieurs kilomètres, nous

nous sommes engagés sur une route étroite qui plonge dans la forêt avec, de chaque côté, des buis épais qui forment comme un grand mur. Je n'oublierai jamais mon émerveillement lorsque nous avons passé l'angle de la grande maison franc-comtoise. Ayant tout d'abord pensé que Marc s'était trompé d'itinéraire, j'ai alors aperçu la rivière et ses alentours. J'ai compris que nous étions arrivés au paradis. Comment ne pas rêver d'habiter un tel endroit à part peut-être la peur d'être trop éloigné du monde... Pour ma part, le coin était justement parfait et lorsque le maître des lieux, après quelques recommandations sur la pêche, nous autorisa à aller nous installer tout au bout du grand champ pour passer la nuit, j'étais aux anges. J'appréciais cette sensation d'isolement au fond de cette vallée boisée dont quelques couronnes de falaises au-dessus des arbres apportent encore de la majesté au paysage. Des bouquets de saules habillent les berges de leurs feuilles aux reflets argentés. Et au milieu coule une rivière, la reine de ces lieux, aux eaux cristallines parées de longs herbiers de renoncules aquatiques. La Loue dans son écrin de verdure était telle que je l'avais rêvée et je remerciais mon chéri de m'avoir emmenée dans ce lieu magique. Cela faisait longtemps qu'il n'y était pas revenu et il était très heureux que nous puissions nous y retrouver seuls pour l'occasion. J'imagine d'ailleurs que quelques années auparavant, il aurait été tout à fait inconcevable de ne croiser aucun autre pêcheur sur ce parcours renommé. Les poissons étaient réputés très difficiles parce que justement bien éduqués et j'étais presque inquiète à l'idée de ne pas être à la hauteur de leurs caprices.

Ce soir-là, des fourmis étaient au menu et alors que les truites se régalaient des hyménoptères, je désespérais de ne pas en avoir dans ma boîte. Heureusement, Marc vint à mon secours et me donna les précieuses mouches qui me permirent d'attraper mes premières zébrées de la Loue. Elles n'étaient pas aussi grasses que celles de la rivière d'Ain, mais se défendaient comme des diablesses. La plupart gobaient en face, à ras les herbiers. Dès que j'en piquais une, elle s'enfonçait directement sous les renoncules et je pouvais alors remercier mon chéri de m'avoir laissé plusieurs mouches. Pour finir, la brume envahit la rivière et l'obscurité ne tarda pas à nous sortir de l'eau.

Nous avons passé le reste de la soirée sous un immense épicéa au bout du champ. Celui-ci nous préservait de l'humidité ambiante le temps du repas, puis avant d'aller dormir, nous allâmes nous asseoir un moment au bord de l'eau. Nous profitions du bonheur d'être ensemble, loin du monde, sous un superbe ciel étoilé. Nous écoutions les bruits de la forêt, de la rivière et pouvions entendre des gobages claquer dans le noir. Si des poissons étaient encore à table, il fallait pourtant aller nous coucher pour être en forme dès l'aube.

Le lendemain, j'ai visité avec curiosité presque la totalité du parcours. J'étais ravie de découvrir les lieux où tant de grands pêcheurs à la mouche avaient jadis traîné leurs cuissardes. Je réussissais à prendre de nombreux poissons en nymphe à vue et profitais pleinement de cette merveilleuse journée. Marc n'était pas en reste et le soir, quand "Sanso" nous demanda si la pêche avait été bonne, nous affichions un sourire béat. Le mien s'agrandit encore en apprenant que je n'avais pas de droit de pêche à acquitter puisque le père Sansonnens n'avait jamais voulu faire payer les femmes. Un saint homme !

Après une journée aussi parfaite, je suis retournée de nombreuses fois sur la haute Loue en privilégiant le secteur de Mouthier-Hautepierre. Les truites y étaient plutôt conciliantes. Je remarquai pourtant sur le parcours de Lods que certaines avaient des origines douteuses. Des truites avec des points rouges comme des tomates cerises, des points cerclés de blanc comme un œuf, d'autres à la robe jaune citron… Il y avait de quoi faire une bonne salade ! Ces farios immigrées n'étaient pas forcément plus niaises que celles de souche, mais elles présentaient l'avantage de se nourrir tout au long de la journée. Je m'étais trouvé quelques bordures à pêcher à l'arbalète et je m'obstinai à de nombreuses reprises à taquiner une belle zébrée à la gueule tordue. Elle avait une tête effrayante et semblait déjà connaître par cœur toutes mes nymphes. Ce n'est pas faute d'y avoir passé des heures, mais je n'ai jamais réussi à la prendre. J'aime supposer que cette truite trop rusée mourra de vieillesse.

J'avais trouvé quelques endroits sympas pour dormir et le matin, je buvais parfois mon café avec des nuées d'éphémères qui virevoltaient au dessus de ma tête. Leur ballet à travers les premiers rayons du soleil était comme la promesse d'une belle journée. Enfin, cela n'empêchait pas le temps de tourner à l'orage et je crois bien que j'ai passé ma pire nuit seule dans la voiture à Lods. J'avais déjà pris une bonne rincée au coup du soir. Les truites gobaient comme des folles. J'avais bien eu le temps d'enfiler ma veste imperméable entre deux averses, mais il avait plu tellement fort que j'étais trempée jusqu'aux os. Du coup, l'orage menaçant, je m'étais résolue à m'installer en tendant ma bâche entre la voiture ouverte à l'arrière et une table. Cela me permettait d'être à l'abri et de profiter de plus de place qu'enfermée dans la fourgonnette. Après plusieurs sessions humides dans le Jura, j'avais vite compris qu'une bâche s'avérait un atout indispensable et mon système était rodé depuis longtemps.

Je n'ai jamais eu peur de l'orage, bien au contraire. Mais franchement ce soir-là, j'ai bien cru que le ciel me tombait sur la tête. Au début de la tempête, j'étais même excitée de profiter du spectacle en direct. Je dois avouer qu'après quelques énormes coups de tonnerre qui résonnaient à n'en plus finir contre les falaises, je faisais moins la maligne. Les éclairs déchiraient et illuminaient le ciel au-dessus de moi avec tant d'insistance que l'inquiétude m'envahit. Le vacarme de la pluie sur la tôle de la voiture était assourdissant. Puis ce fut la grêle qui martela la bâche et je commençai à douter de la résistance de mon abri. En plus, alors que le vent était déchaîné, je réalisai que j'étais garée tout près d'un grand arbre. J'imaginais le titre dans le journal local le lendemain : « Une pêcheuse a été retrouvée écrabouillée dans sa voiture ». Aujourd'hui, l'idée me fait rire, mais sur le coup, je n'en menais pas large. J'enviai mon chien qui dormait en toute sérénité et puisqu'il était trop tard pour déménager, j'attendis peureusement la fin de l'orage. Le crescendo avait duré une vingtaine de minutes qui m'ont paru une éternité. Finalement, le vent et les éclairs se sont éloignés, emportant avec eux leurs grondements et mes peurs. La pluie, quant à elle, tomba toute la nuit et le matin, la Loue semblait avoir pris la foudre, elle était marron.

Des copains m'ont souvent accompagnée pour quelques jours sur la Loue. Julien, qui n'y était pas revenu depuis la plus grosse mortalité de l'année 2010, était ravi de me rejoindre pour me faire découvrir le secteur d'Ornans. Il faut dire qu'il m'en avait tellement parlé de cette rivière en évoquant des souvenirs de pêches merveilleuses. Pourtant, le soir où il était arrivé, nous scrutions la Loue assis sur le muret en amont du viaduc et j'entendis sa voix trembler. La gorge serrée, Julien me décrivait les truites fabuleuses qui ondulaient quelques années auparavant dans ce courant.

J'imaginais quelques zébrées de soixante centimètres qui naviguaient alors, entourées d'autres à peine plus petites et de quantité d'ombres. Ce soir-là, à peine quatre ans plus tard, nous eûmes beaucoup de mal à apercevoir une truitelle rescapée. J'ai souvent entendu les discours de pêcheurs plus âgés que moi qui ont connu la belle époque où les poissons se touchaient presque. Peut-être que le fait que ces temps révolus me paraissent lointains atténue mes regrets. En entendant mon ami bien plus jeune que moi me dire que « C'était mieux avant », j'étais consternée. Nous réalisions la gravité de la situation et l'urgence de réagir pour sauver le peu qui reste. Nous tentions de refaire le monde, mais plus tard, nous avons quitté notre perchoir avec un profond sentiment d'impuissance.

Les jours suivants, nous retrouvions de l'espoir grâce à de jolies zébrées et leur descendance qui peuplent encore la rivière. Bien sûr, il n'y avait pas de quoi crier victoire mais nous étions un peu rassurés de constater que la nature n'avait pas dit son dernier mot.

J'approuvais d'ailleurs largement la décision des sociétés de pêche de préserver la population piscicole en obligeant les pêcheurs à relâcher leurs prises. Certaines n'y trouvant pas leur compte ont autorisé à nouveau le prélèvement. Je sais bien que les pêcheurs ne sont pas le pire danger pour la rivière. Pourtant, je ne peux admettre l'idée qu'elle se repeuplera en jetant ses poissons dans des paniers en osier. Du coup, je ne suis jamais retournée sur la Loue. J'avoue que ma colère ne résistera peut-être pas à son appel envoûtant, mais j'espère que d'ici là, les truites auront fait des petits sous les ponts.

* * *

- XX -

Les rivières du paradis

Quel pêcheur à la mouche n'a jamais rêvé d'aller en Nouvelle-Zélande?

Je m'estime chanceuse d'avoir réalisé ce fantasme. Chaque jour j'ai apprécié le bonheur d'être vivante au paradis ! Je me suis sentie minuscule dans des vallées désertiques immenses aux rivières infinies, envoûtée par la magie du bush et des eaux d'une incroyable limpidité. J'ai été bluffée par les couleurs des paysages, les jaunes enflammés des plaines, les ambiances si particulières dans la forêt au milieu des fougères avec des oiseaux au chant exotique. J'ai admiré le bleu du ciel mis en valeur par ces longs nuages blanc qui ajoutent tant de profondeur au panorama. J'ai été impressionnée par la netteté de la voie lactée, les étoiles ne m'avaient jamais semblé aussi proches ! Les levers et couchers de soleil ont mis le feu aux nuages de nombreuses fois. Aujourd'hui encore, je ne cesse de penser à ces matins où je suis sortie de mon duvet après seulement quelques heures de sommeil pour aller m'asseoir au bord de l'eau et admirer le magnifique spectacle que la nature m'offrait. A moi, pour moi toute seule. Je crois que ce sont ces moments privilégiés de solitude que j'ai préféré. Le ciel s'allumant de teintes orangées, de rouge, le reflet de toute sa beauté dans le lac entièrement lisse, le silence progressivement interrompu par un vol d'oies sauvages, le cri strident d'une sterne ou le claquement d'une truite qui gobe... Assise immobile devant l'immensité d'un tableau d'une perfection rare, je m'enivrais de mon bonheur. Je regardais défiler le film de la nature qui s'éveille dans toute sa splendeur jusqu'à ce que les premiers rayons du soleil transpercent l'horizon. Alors, les nuages s'éteignaient et je quittais mon fauteuil de sable pour aller me faire un café et m'équiper pour une longue journée de pêche.

Eh oui, la pêche ! C'est bien ce qui nous avait motivés à choisir cette destination devenue à la mode depuis plusieurs années. Combien de pêcheurs n'ont pas bavé devant les images de ces truites fabuleuses. La réputation de la pêche à la mouche dans ce pays n'est plus à faire. Surtout, quand on voit certaines vidéos sur le Net de pêche en Nouvelle-Zélande, on peut croire que ça va être l'euphorie des grosses truites, qu'un débutant sortirait un trophée chaque jour tous les cent mètres. Heureusement, j'avais été prévenue du contraire et je ne me faisais pas d'illusion car ce fut justement souvent loin d'être simple.

Mon manque de technique, ma difficulté à repérer les poissons dans les courants, et la méfiance de ces derniers n'avaient d'égale que la rapidité à laquelle ils comprenaient l'embrouille à la vue d'une mouche et la vitesse à laquelle ils s'enfuyaient. A cela, on rajoutait le vent, oui, ce satané vent quotidien qui vous empêche même à l'arbalète de poser une nymphe devant la gueule d'une truite sous vos pieds. A distance, je ne vous raconte pas l'enfer de voir des truites énormes sans jamais réussir à poser la mouche au bon endroit et encore moins à faire une bonne dérive. Les copains maudissaient Eole et cela me réconfortait presque de constater qu'eux non plus (pourtant plus doués que moi) n'arrivaient pas à conclure avec les big brown. Nous avons pêché des secteurs à mon avis bien fréquentés et sur les lisses de certaines petites rivières j'ai souvent pensé à mes zébrées de la haute rivière d'Ain qui me semblent maintenant bien moins « garces » que les Néo-Zélandaises ! Il m'arrivait ces jours-là, après plusieurs heures de cuisants échecs de ne plus oser tenter quoi que ce soit à la vue d'une grosse truite sur un plat.

Avant de partir, on m'avait dit : « Ne prenez pas de nylon en dessous de seize centièmes, c'est pas la peine ! » Heureusement qu'on en a fait qu'à notre tête, car le douze-centièmes s'est souvent révélé indispensable.

Nous avons fait une ou deux belles journées de « capots » à quatre que nous avons célébrés le soir dans la bonne humeur. J'ai évidemment fait quelques bredouilles de plus que les copains et j'ai vécu de grands moments de frustration. Mon soulagement n'en était que plus grand lorsque j'épuisais une truite, alors que les autres en avaient déjà plusieurs au compteur. D'ailleurs, je pense qu'eux aussi étaient rassurés, car quand je n'y arrivais pas, je devenais pénible. Je ne vous raconte pas la fête le soir lorsque nous avions tous pris du fish.

Les premiers jours, nos difficultés ont failli nous décourager. Nous arrivions quand même à prendre un ou deux poissons, mais avec le vent qui, parfois, ne tombait même pas la nuit et les sandflies qui nous attaquaient dès le lever du jour, nous nous disions déjà que cela risquait d'être long, six semaines dans ces conditions. Heureusement, des jours meilleurs nous attendaient et quelques belles réussites ont fait oublier les déconvenues précédentes. Les truites étaient pour la plupart de vraies torpilles !

Il y eut de superbes combats, de jolies casses et nous avons souvent dû augmenter le diamètre de nos pointes quand les truites se montraient plus coopératives. Nous avons souvent changé de rivière par curiosité et il a fallu du temps pour s'habituer, comprendre les différences de comportement de ces poissons d'un autre monde.

Nous avions aussi choisi quelques lacs comme solution de repli au cas où la pluie, normalement si fréquente, gonflerait les rivières. Par chance, il n'a presque pas plu, mais nous avons tout de même pêché ces lacs majestueux. Il était difficile d'estimer la grandeur de certaines de ces étendues d'eau. Un petit rond bleu sur notre carte s'avérait en réalité de la taille du lac d'Annecy. Et bien sûr, pas une seule habitation sur les rives à perte de vue. Vous imaginez le lac Léman complètement sauvage ? Ça laisse rêveur, non ? Nous étions surpris de pouvoir avancer dans l'eau jusqu'aux cuisses sur des dizaines de mètres. C'était un régal de pêcher à vue les « petites » truites d'une cinquantaine de centimètres qui rôdaient autour de nous, de l'aube jusqu'à ce que le vent se lève. Souvent, dans les anses, elles tournaient dans si peu d'eau que leur dorsale trahissait leur présence en crevant la surface. Je ne vous dis pas le remous que ça faisait au ferrage ! Parfois, nous tombions sur des arc-en-ciel qui nous mettaient au backing direct. Elles sont complètement marteaux ces truites ! Et l'ambiance… Des cygnes noirs, des multitudes d'oies sauvages… Il n'y avait plus beaucoup de fleurs mais par endroits, les derniers lupins ajoutaient leur touche de couleurs variées au paysage. J'ai adoré ces sessions de pêche en lac et dans les deltas des rivières. Au début, je me disais que c'était dommage de pêcher en lac puisque les rivières étaient si belles, mais cela aurait été une grosse erreur de louper ça.

Pour ne rien regretter de notre voyage au pays des kiwis, nous nous sommes aussi fait déposer par hélicoptère sur une rivière de la côte ouest. Le pilote devait nous récupérer cinq jours plus tard, plusieurs kilomètres en amont. Je suppose que c'est chose assez fréquente sur ce secteur, car un chemin longe la rivière et les truites semblaient déjà connaître la chanson de nos nymphes. Le souvenir de cette excursion me hante régulièrement. Le plaisir de remonter cette rivière émeraude était à la hauteur de nos espérances. A chaque virage, à chaque nouvelle perspective, c'était un émerveillement. Et moi qui aime les oiseaux, j'étais ravie de la rencontre avec les « piwakawakas », petits curieux à la queue en éventail qui venaient jusqu'à se poser sur le scion de ma canne. Celui que j'ai préféré, c'est ce cher « Robin », un petit oiseau gris, aux pattes toutes fines et habillé d'un plastron blanc. Encore moins farouche, il sautillait souvent tout près en quête des sandflies qui nous tournaient autour. J'en aurais bien apprivoisé un ou deux pour les poser sur chaque épaule afin qu'ils s'occupent de ces satanés insectes en permanence.

Bien sûr, nous repérions régulièrement de beaux poissons et pour parfaire le tout, ils visitaient parfois nos épuisettes, en tout cas celles des copains. Je vous avoue, que moi qui ne suis pas une grande sportive, loin de là, je n'en pouvais plus de mon sac à dos le dernier jour. Pendant ces cinq jours, j'ai aussi eu quelques frayeurs car j'ai sérieusement le vertige et il a fallu traverser quelques « swing bridges », ces ponts faits de câbles et qui tanguent à chaque pas que vous faites. Celui qui n'a pas peur du vide ne peut pas comprendre le mal-être que l'on ressent dans ces cas-là, mais j'éprouvais une petite fierté intérieure à chaque fois que j'arrivais de l'autre côté. La plus belle récompense fut pour moi lorsque nous arrivâmes à cet endroit où de nombreux arbres morts transpercent la rivière, tels des lances en pointant vers le ciel leur tronc dénudé. Certains sont cassés plus près de la base et surmontés d'une énorme touffe d'herbe. La rivière qui se divise sur un fond de sable clair prend des couleurs de lagon et le ciel bleu ce jour-là ajoutait la touche finale à ce tableau digne des plus grands impressionnistes. Cet endroit avait vraiment quelque chose de magique et c'est sans doute le lieu qui m'a le plus subjuguée.

Il est inutile de décrire nos sentiments respectifs le dernier jour de notre excursion, lorsque nous attendions l'hélicoptère qui revenait nous chercher. Même si nous avions un peu crevé la dalle sur la fin, car trop justes dans le rationnement de nos provisions, nous serions bien restés encore quelques jours de plus quitte à manger de l'opossum. Mais le rendez-vous ayant été pris à l'avance, nous fûmes tout de même heureux de voir apparaître l'engin dans le ciel avec l'idée que nous allions pouvoir savourer une bière fraîche.

A notre retour sur la terre ferme, nous avons pu profiter de la splendeur d'un coucher de soleil au bord de la mer. Pour les Haut-Savoyards que nous sommes, le simple fait d'approcher la mer était une fête. Nous étions épuisés, mais nous avons encore marché plus d'une heure au bord de l'eau salée. La marée descendante dessinait la perfection d'une plage sans empreinte et seuls quelques oiseaux marins laissaient leurs traces sur le sable. C'était la première fois que je profitais d'un bord de mer aussi immense sans aucune présence humaine à perte de vue. Une fois le soleil couché, il ne nous fallut pas longtemps pour allumer un feu et les steaks que nous fîmes griller constituèrent un véritable festin. Cette soirée sur la plage clôturait en beauté l'aventure extraordinaire que nous venions de vivre dans le bush.

Notre périple néozélandais a duré six semaines et même si le temps n'est jamais passé trop vite sur place, le séjour était trop court pour tout voir. En vérité, je ne suis même pas sûre qu'une vie suffirait pour découvrir la totalité des rivières de l'île. Nous avons essentiellement pêché des secteurs aux accès faciles et n'avons jamais marché plus d'une journée (à part lors de la dépose) afin de nous éloigner des sentiers battus. Il faut dire qu'il y avait à chaque fois des grosses truites qui nous empêchaient d'avancer ! Nous aurions pourtant eu tout intérêt à partir avec la tente, pour sans doute trouver des poissons plus faciles. Je crois qu'inconsciemment nous avons effectué une sorte de repérage, visité plusieurs rivières comme pour se faire une idée et mieux cibler notre choix la prochaine fois.

Depuis notre retour, je songe régulièrement à ce fabuleux voyage et j'espère ne jamais rien oublier de ce que j'ai ressenti au "Pays des longs nuages blancs". On nous avait prévenus, on nous avait mis en garde : « Vous allez être traumatisés ! Vous allez vouloir y retourner ! » Comment pourrait-il en être autrement quand on a goûté à l'Eden de la pêche à la mouche ?

* * *

- XXI -

Au pays des anguilles géantes

Cela faisait presque deux semaines que nous étions en Nouvelle-Zélande. Nous avions décidé de ne rien manquer de ce voyage et nous nous étions offert une dépose par hélicoptère pour effectuer un trip de cinq jours, en remontant une magnifique rivière de la côte Ouest. Pour notre périple au "Pays du long nuage blanc", mon chéri et moi avions proposé à nos copains Raphaël et Julien de se joindre à nous, car comme il est coutume de dire, « Plus on est de fous, plus on rit ».

Nous nous sommes fait déposer à plus d'une trentaine de kilomètres à vol d'oiseau, de l'héliport et nous sommes donc retrouvés au milieu du bush pour notre plus grand bonheur. C'était merveilleux d'arpenter cette rivière émeraude qui coulait dans une vallée à la végétation luxuriante avec la sensation d'être seuls au monde. Quelques petits oiseaux peu farouches nous accompagnaient parfois, attirés par les nuées de sandflies qui tentaient de nous dévorer. Ces mouches minuscules qui affectionnent le bord de l'eau sont sans aucun doute les pires ennemis des pêcheurs, car si leurs piqûres sont quasiment indolores, les démangeaisons qu'elles causent sont insupportables. Heureusement nous avions été prévenus de leur présence abondante et nous nous en étions protégés en conséquence.

Nous avons passé la première nuit dans une « hut », sorte de refuge comme on en trouve chez nous en montagne, mais dès le lendemain soir, après plusieurs kilomètres parcourus et quelques magnifiques truites capturées nous avons décidé de camper au bord de l'eau. Ayant gardé un poisson pour ajouter quelques protéines à notre ravitaillement sous-estimé, nous l'avons cuit sur la braise et nous nous sommes régalés. Les tentes déjà montées, le repas achevé, nous avons partagé nos émotions de la journée. La pêche avait été compliquée, les eaux étant basses, les truites n'étaient pas très actives et restaient difficiles à tromper. Si les copains s'en étaient pas trop mal tirés, j'avais pour ma part eu beaucoup de mal à éviter la bredouille. Aussi, une seule de ces « big brown » à la robe extraordinaire avait largement suffi à mon bonheur.

Nous avons établi le programme de la journée du lendemain. Puis, avant d'aller me coucher, j'allais me laver les mains à la rivière. Mais lorsque le rayon de ma lampe s'est posé sur l'eau, j'ai fait un bond en arrière.

– Hé, les garçons ! Venez voir !

Julien et Raph sont arrivés les premiers et ont réagi comme moi. Devant nous, dans la lumière des frontales, une douzaine d'anguilles grouillaient près du bord. Marc a fini par arriver et nous n'avons pas été mécontents de voir que lui aussi pouvait être gagné par la panique. Une fois les éclats de rire passés, nous nous sommes demandés pourquoi toutes ces anguilles s'étaient rassemblées là. Marc a suggéré qu'elles avaient dû être attirées par le sac plastique qui avait contenu la truite que nous venions de manger, sac dont il avait coincé le cornet entre deux pierres pour le laisser tremper avant de le remettre dans le sac à dos. Les anguilles semblaient apprécier l'odeur du poisson puisqu'elles tournaient frénétiquement dans l'eau, dans l'attente du festin.

Nous avions déjà eu depuis le début de notre séjour l'occasion de croiser une ou deux de ces bestioles, mais jamais réunies en si grand nombre. J'avais appris que ces curiosités de la nature peuvent atteindre deux mètres et peser une vingtaine de kilos. Heureusement d'ailleurs que j'étais au courant de la forte possibilité de tomber sur un de ces monstres avant de me rendre en Nouvelle-Zélande, parce que je crois bien que sinon, j'aurais fait un arrêt cardiaque si j'en avais croisé une dès le premier coup du soir sur l'île. On m'avait préalablement rassurée sur le fait qu'il n'y avait pas de danger, mais je peux vous assurer qu'à la vue d'une de ces bêtes, toute noire et d'un bon mètre cinquante, mon sang s'est glacé. Marc n'était pas près d'oublier non plus sa première rencontre avec l'espèce, alors qu'il se rinçait les mains dans un ruisseau et qu'il a vu surgir de sous la berge la tête effrayante d'une anguille énorme.

Il faut croire que nous avions pris le dessus sur notre phobie puisque ce soir-là, à force de regarder ces créatures onduler devant nos pieds, il nous vint l'idée d'en attraper une. En quelques minutes, nos cannes encore montées furent chacune armée d'un streamer et nous avons posé tous en même temps nos imitations au milieu des poissons serpents. Nous ne nous attendions certainement pas à ce qu'elles se ruent aussi violemment sur nos mouches : en quelques secondes, nous avons eu tous les quatre une de ces bestioles au bout de la canne.

Ce fut, je dois le dire un joyeux désordre. Les anguilles piquées nageaient en marche arrière pour tenter de s'enfuir tandis que les autres continuaient à tourner comme des folles. Un fou rire nerveux nous a gagnés. Marc s'est fait casser le premier. Ce qui lui a permis de venir en aide à Julien qui ramenait la sienne près du bord en tentant de la saisir.

La bête recouverte d'un abondant mucus était bien trop glissante, une vraie savonnette, et il a fallu abandonner l'idée de l'attraper à la main. L'expression « prendre une anguille par la queue » trouvait tout son sens ! Il était hors de question d'arriver à faire rentrer une des bestioles dans nos petites épuisettes et nous avons alors tenté de les tirer sur le bord. Malheureusement, ces anguilles géantes se défendaient comme des forcenées et il n'y avait pas moyen de les sortir de l'eau. Même si cela nous faisait beaucoup rire, nous nous sommes retrouvés bien embarrassés et n'osant les prendre par la gueule, nous nous sommes résignés à les décrocher à l'aide d'une pince à écraser les ardillons.

Marc s'est employé à cet exercice délicat sur l'anguille de Julien tandis qu'avec Raph nous attendions notre tour en essayant de contrôler nos adversaires respectifs. C'est à ce moment que je me suis entendu pousser un cri d'effroi : une anguille plus grosse que les autres tentait d'engloutir la plus petite que j'avais au bout de ma ligne. Nous étions stupéfaits de la voracité de ces bestioles. Je faisais moins la maligne. Marc avait réussi à décrocher la prise de Julien et tentait maintenant de venir en aide à Raphaël. De mon côté, je luttais pour ramener le monstre qui continuait d'avaler sa petite sœur. J'étais à la limite d'être écœurée par un tel spectacle et fus bien soulagée lorsque mon anguille géante recracha l'autre. Mon chéri vint enfin décrocher ma bête et je lui passai ma canne afin qu'il puisse à son tour tenter d'en prendre une. Ces bestioles étaient à tel point voraces que même après les avoir décrochées au bout d'un long combat, elles prenaient à nouveau nos streamers sans hésiter. L'une d'entre elle, la plus grosse, avait plusieurs fois cassé nos lignes et continuait à tourner avec trois imitations au bout de la gueule. Julien réussit finalement à la tenir suffisamment longtemps pour que nous lui enlevions tous ces hameçons de la bouche. Au bout de plusieurs récidives, les anguilles finirent tout de même par se méfier et nous dûmes nous résoudre à reposer les cannes non sans avoir coupé les nylons qui étaient enduits d'un épais mucus.

Il aurait sans doute suffit que nous prenions la peine de mettre un fil de plus gros diamètre pour parvenir à mettre au sec un de ces monstres, mais je suppose qu'au fond, nous n'en avions pas réellement envie. Ne connaissant pas du tout ces créatures, nous avions tout de même beaucoup d'appréhension à les manipuler. Nous nous étions cependant amusés comme des gamins après une longue journée déjà pleine d'émotions, et c'est bien fatigués que nous sommes finalement allés nous coucher. Je m'allongeai dans la tente complètement épuisée, mais lorsque je fermais les yeux, de grands serpents noirs apparaissaient et semblaient vouloir passer la nuit dans ma tête. Je réussis tout de même à m'endormir, mais ma nuit au pays des anguilles géantes fut effectivement cauchemardesque.

* * *

- XXII -

Sacré baptême

Tout avait commencé quelques mois auparavant par un matin froid de décembre... Alors que j'hésitais à rester au chaud à la maison, mon chéri et notre copain Julien réussirent à me convaincre au dernier moment d'aller avec eux, en prétextant que nous avions l'opportunité d'essayer un bateau sur le Rhône. Acquisition dont nous avions décidé le principe sans pour autant avoir arrêté de choix définitif.

Ce fut une bonne surprise. Cette embarcation était bien mieux que ce que j'avais imaginé. Il faut dire qu'au départ, nous envisagions d'acheter la barque motorisée d'un ami et que là, nous étions face à un véritable bateau. Après quelques minutes de navigation, nous fûmes conquis par la puissance du moteur et toutes les options dont était équipé ce Lund de démonstration.

Et le fait de tomber en panne à quelques centaines de mètres de la mise à l'eau ne doucha même pas notre enthousiasme, ce fut seulement l'occasion d'une bonne partie de rigolade. Nous étions sans doute ce qu'on appelle des "chats noirs". L'essai s'est arrêté là, mais nous avons discuté tout de même encore un bon moment avec le vendeur avant de nous résoudre à partir pêcher le brochet du bord. Le prix de ce bateau était bien supérieur à ce que nous avions prévu d'investir mais nous n'avons pu nous empêcher de rêver tout au long de la journée aux plaisirs que nous promettait cette petite folie. Marc et Julien étaient indécis. Normal, c'était eux les investisseurs. Ma décision de casser ma propre tirelire et de rejoindre le tour de table acheva de les convaincre de casser la leur.

Dès le soir même, notre décision d'acquérir ce bateau était prise. Quelques jours plus tard, Marc et Julien et un peu moi étions les heureux propriétaires d'un Lund Fury 1600 tout équipé. Nous sommes partis ensuite tous les trois en Nouvelle-Zélande avec la certitude que notre déception de rentrer serait moins grande puisque nous avions désormais un joli lot de consolation.

A notre retour, il restait aux deux garçons à passer le permis fluvial, à trouver un garage pour ranger la bête, à se débattre avec quelques paperasses administratives pour finalement, des semaines plus tard, ramener le bateau chez nous. Il n'y avait plus qu'à lui trouver un nom.

Après avoir longuement réfléchi et dit de nombreuses bêtises, nous avons opté pour « L'Yaute ». N'ayant pas les moyens de nous payer un yacht, nous avons trouvé sympa de faire un petit clin d'œil à notre département de Haute-Savoie que l'on surnomme la "Yaute" en patois.

Nous étions donc aux premiers jours du mois de mai et si le bateau avait officiellement été inauguré la veille, je me réjouissais de ma première sortie à bord de notre embarcation sur le lac Léman. C'était une belle journée printanière, sans vent, mais avec beaucoup d'excitation du côté des passagers. Nous étions comme des gamins le jour de Noël et tout était prétexte pour s'extasier sur notre cadeau. Nous avions déjà pêché en bateau sur ce grand lac alpin mais étions à chaque fois limités dans les distances par des motorisations plus petites. Avec ses quarante chevaux, notre « Yaute » nous offrait de nouveaux horizons et une grande liberté que nous avons immédiatement mis à profit pour nous éloigner de plusieurs kilomètres de la mise à l'eau. Le bateau glissait alors à sa pleine vitesse pour notre plus grande joie, sur le lac qui, ce matin-là, ressemblait à une mer d'huile. Nous étions tellement heureux que nous en avions presque oublié notre principal objectif, à savoir la capture d'un brochet. Gros de préférence...

Une fois nos esprits retrouvés et le moteur électrique enclenché, les cannes ne mirent pas longtemps à entrer en action et nos leurres commencèrent à siffler gaiement autour de nous. Nous étions évidemment persuadés qu'un monstre ne tarderait pas à frapper l'une de nos lignes et ce n'est qu'après trois longues heures de dérive et des centaines de lancers chacun que l'espoir commença à baisser.

Certes, nous étions bien sûr notre navire, mais il semblait cependant qu'il n'était pas assorti de l'option « antibredouille » et aucune touche n'avait fait sursauter l'un d'entre nous. Je posai un moment ma canne et proposai une tasse de café aux deux capitaines qui, acceptant que je les serve, continuèrent tout de même à pêcher. Pour ma part, je profitai d'une courte pause pour apprécier le paysage et observer les oiseaux qui font l'animation du Léman. Les milans noirs avaient déjà rejoint leurs quartiers d'été et j'admirais leurs vols gracieux au-dessus des rives. Des mouettes rieuses, qui mériteraient plutôt de s'appeler "crieuses", mettaient l'ambiance comme d'habitude avec leurs cris stridents. Elles se chamaillaient en suivant de près la barque d'un pêcheur professionnel qui, lui, semblait rentrer au port les caisses pleines. Je rêvassais en me laissant bercer par le clapotement de l'eau contre la coque de notre superbe bateau quand je réalisai qu'il ne manquait plus qu'un énorme brochet pour parfaire cette journée. La motivation retrouvée, je suggérai de changer de coin et mes deux acolytes ne se firent pas prier pour reprendre la navigation. Quelques boules de perches défilaient sur l'écran du sondeur, mais rien ne laissait supposer la présence d'un grand carnassier. Le lac est tellement immense que nous avions l'impression de chercher une aiguille dans une botte de foin et c'est à notre intuition commune que nous finîmes par faire confiance. Notre inspiration nous fit mettre l'ancre tout à fait par hasard en face du petit village d'Hermance, qui fait la frontière entre la Suisse et la France. J'armai ma ligne d'un « sandra » blanc nacré qui, jusque-là, m'avait souvent porté chance et était donc devenu mon leurre de prédilection. Rien ne prouvait qu'il fonctionnait mieux qu'un autre, mis à part le fait que je l'utilisais plus que les autres. J'ignorais encore presque tout de la pêche du carnassier et me contentais de choisir mes leurres en fonction de mes goûts et de mon humeur. Je venais de laisser descendre mon appât factice jusqu'au fond et commençais à le ramener en moulinant lentement lorsqu'une une violente touche secoua ma canne. Je ferrai par réflexe et dans le même temps signalai que j'avais un poisson. Les garçons, heureux qu'il y ait enfin de l'action, s'arrêtèrent de pêcher et me questionnaient déjà sur ce que je tenais là. J'avais du mal à définir sa taille, mais je sentais tout de même de sacrés coups de tête. Le poisson semblait vigoureux et commença alors à prendre du fil sans pour autant trop s'éloigner du bateau. Il sondait à la verticale et ma canne pliait à rompre.

Le brochet (j'avais le sentiment que seul un "bec" pouvait me faire ce genre de numéro) s'arrêtait de temps en temps comme pour me rassurer. Mais il secouait alors ma ligne pour m'indiquer qu'il était toujours là.

Ayant une tresse d'un bon calibre, je décidai de le malmener un peu et le forçai à remonter. Il n'apprécia pas et se mit à faire chanter mon frein. Marc jurait, lui aussi, que j'avais là un beau brochet et Julien l'attendait déjà avec l'épuisette. Les coups de tête recommençaient à secouer ma canne et j'en profitai pour reprendre du fil. Je pouvais enfin annoncer qu'il allait apparaître et nous vîmes alors un long éclair argenté. Il avait une drôle de couleur ce brochet ! Après quelques secondes d'hésitation partagée, Julien annonça qu'il s'agissait d'une truite.

En effet, une magnifique lacustre se débattait au bout de ma ligne. C'était ma première. Je fus saisie par le trac, une peur horrible de la perdre m'envahit. La truite brillait de mille éclats et ne semblait pas décidée à coopérer. Mes deux capitaines me rassuraient comme ils pouvaient et sous leurs encouragements, je réussis à amener mon poisson jusque dans l'épuisette que Julien tendait à bout de bras, au risque de passer à l'eau. Nous lui fîmes une ovation et échangeâmes les traditionnelles tapes dans les mains pour marquer notre bonheur et notre complicité. J'étais scotchée par cette prise inattendue, une véritable torpille aux flancs argentés et au dos vert foncé. Elle dépassait largement les soixante-dix centimètres, ce qui est loin d'être un record pour l'espèce mais j'étais amplement satisfaite d'avoir pris un tel poisson. Julien prit quelques photos pour immortaliser l'événement et si sur les clichés, on peut voir une belle truite, on devine surtout l'euphorie qu'elle a provoquée.

Les chances de prendre une truite lacustre au lancer en pêchant le brochet sur le lac Léman, sont semble-t-il, assez rares. Je préférais de loin mon aubaine plutôt qu'un gros bec, d'autant plus que c'était une première pour moi. Julien rigolait d'avance en pensant à la tête que feraient les copains quand on leur raconterait cette prise extraordinaire et tous les trois, nous avons ri aux éclats de notre aventure. L'occasion était trop belle pour attendre davantage afin d'ouvrir la bouteille de champagne apportée pour fêter mon baptême sur « L'Yaute » et nous levâmes gaiement nos verres à ma réussite. Notre bateau semblait voguer sous une bonne étoile et pour une inauguration, je ne pouvais rêver d'une plus belle journée. La truite, elle, n'avait pas souhaité trinquer avec nous, pressée qu'elle était de regagner les abysses de son lac.

* * *

- XXIII -

Sur le Léman, qui vivra ferra

Le printemps était presque terminé et la fonte des neiges largement amorcée. Quelques pluies en ayant rajouté dans la débâcle, nous avons choisi de délaisser des rivières impraticables pour aller pêcher sur la « gouille ». C'est ainsi que les Suisses désignent une flaque d'eau et, par dérision, le lac Léman. Nous sommes arrivés à Nernier dans la matinée et avons traversé le joli village lacustre, à pied jusqu'au port. En suivant les ruelles pavées, j'étais sous le charme des maisons de molasses et de chaux vive habillées par des vignes grimpantes. Ici, l'été semblait avoir pris de l'avance : des roses trémières ornaient déjà les jardins et de nombreuses fleurs coloraient le village.

Lorsque nous sommes arrivés sur le quai, j'ai découvert enfin « Gamin », le bateau cabine de cinq mètres de mon beau-père. Je n'avais jamais mis les pieds sur un bateau et même si j'étais ravie de l'aubaine, je montai à bord avec une certaine appréhension. Après avoir quitté le port, je ne faisais pas la maligne, trouvant d'un seul coup cette embarcation bien minuscule sur cette immense étendue d'eau. D'ailleurs, quelques vagues commencèrent à me donner le « tournis ». Jean, qui tenait la barre, me conseilla de regarder au large pendant que mon chéri préparait les cannes. On avait calé Argo, en hauteur devant la cabine afin de garder suffisamment de place pour nous à l'arrière. Le roof était rempli de matériel de pêche et d'un tas de trucs improbables. Un beau fourbi, là-dedans ! Heureusement, il y avait très peu de vent et l'ambiance du lac me fit vite oublier mon malaise.

Je m'étonnai alors de voir des mouettes en Haute-Savoie et tentai d'imiter leurs cris. Fataliste, mon beau-père en conclut qu'il y avait « une tarée de plus dans la famille ». Nous avons ri ensemble de sa façon de me souhaiter la bienvenue. Visiblement, Marc appréciait cette complicité. Puis, Jean a stoppé le bateau et jeté l'ancre. Nous pouvions passer aux choses soi-disant sérieuses.

Je me suis retrouvée équipée d'une canne au toc dont la ligne était munie d'une dizaine de mouches en potences, au-dessus d'un plomb de quinze grammes. Nous devions dans un premier temps attraper des perches et suivant les instructions de mon guide, je laissai descendre la gambe au fond. Jean, qui voyait la multitude de poissons sur l'écran du sondeur, affirmait que ça allait « greuler » et je souriais d'entendre ce mot savoyard. J'avais à peine rabattu le pick-up du moulinet pour décoller le plomb de la vase que je sentis déjà mon scion trembler. « Oh là là, oui ! Comme ça greule ! » J'ai ferré et remonté deux ou trois perches d'une quinzaine de centimètres. Excellent ! Marc, toujours attentionné, m'a aidé à décrocher les poissons les premières fois, car j'avais un peu de mal avec tous ces hameçons.

Je me suis ensuite débrouillée toute seule et amusée comme une gamine à cette pêche miraculeuse. Un petit concours s'engagea pour désigner celui qui remonterait le plus de perches en une fois. Du coup, je laissais ma gambe plus longtemps au fond, même quand Jean criait : « Ça greule ! Ferre ! »

Lorsque j'estimais que ma ligne était assez lourde, je moulinais et comptais parfois autant de poissons que de mouches sur un seul coup. De temps en temps, une perche bien plus grosse que les autres créait la surprise et augmentait encore l'animation sur le bateau. Il nous a fallu à peine plus d'une heure pour remplir un seau de perchettes. Mon beau-père se lamentait par avance à propos de la future corvée d'enlèvement filets sur ces petits poissons. Histoire d'en rajouter, nous nous sommes demandés avec Marc s'il y en aurait assez pour tout le monde, lui promettant juste de nous régaler. Argo, quant à lui, lorgnait le seau comme pour nous faire comprendre qu'il était prêt à aider pour s'occuper des poissons.

Il était maintenant temps d'essayer de pêcher les corégones. Après avoir remonté l'ancre, Jean reprit la navigation à la recherche d'échos prometteurs. Pendant ce temps, je profitai du paysage et de la visite guidée du lac. Le parcours fut bref, car le capitaine stoppa très vite en face du magnifique village d'Yvoire. Il avait repéré des poissons entre deux eaux par trente mètres de fond. J'étais surprise qu'on ne pêche pas avec un canin, mais Jean m'assura que c'était bien moins galère avec une grande canne. Marc, fidèle à sa vocation de guide, s'était occupé de changer les gambes. Il fallait maintenant calculer le nombre de tours de manivelle du moulinet pour placer nos chironomes à la même profondeur que les poissons. Pour ma part je m'y repris à plusieurs fois, car pendant que je comptais, Jean s'amusait à détourner mon attention sans trop de mal. Marc s'emmêla lui aussi dans ses calculs et chacun en profita pour se moquer des deux autres. Jean m'avait expliqué que la touche pouvait être très discrète. Je me concentrai donc sur le scion de ma canne. Au bout d'un long moment, je suggérai que la pêche des perchettes était bien plus drôle. Mon beau-père, lui, maudissait les féras qui passaient sous le bateau sans mordre à nos hameçons. Marc loupa une touche que personne n'attendait plus, car le manque d'activité à bord commençait à nous ennuyer. Si les corégones n'avaient pas faim, notre estomac nous rappela alors qu'il était midi passé. L'idée du repas remit de l'animation et en quelques minutes, le casse-croûte fut installé au milieu du bateau. Connaissant mes goûts, Jean nous servit un verre de mousseux et nous trinquâmes joyeusement à ma première sortie sur la « gouille ». Puis, nous sommes jetés comme des morts de faim sur les tartines de terrine de campagne.

Je mangeais déjà de bon appétit quand soudain, Marc a écarquillé les yeux en mordant dans son bout de pain. Il me regardait les yeux tout ronds et je crus d'abord qu'il s'étouffait. La tartine en travers de la bouche, il me désignait en levant le menton la canne dans mon dos. Jean avait vu la touche au même instant et cria que j'en avais une. Je sautai alors sur ma canne dont le scion pliait avec insistance. J'avais moi aussi ma tartine entre les dents et cela faisait rire mon beau-père. Sur les conseils de Marc, je moulinai lentement. La féra se défendait vigoureusement et je sentais ses coups de tête dans le scion.

Je n'en avais jamais pris et j'avais la trouille qu'elle se décroche. J'étais épatée par sa défense, surtout quand elle se mit à faire chanter le frein. La bouche pleine, je me contentai d'émettre des sons bizarres pour exprimer mes émotions, ce qui fit beaucoup rire mes deux acolytes. Jean avait sorti l'épuisette de la cabine en mettant en l'air la moitié du pique-nique et se tenait prêt à réceptionner la féra. Pour compliquer les choses, celle-ci avait pris le chiro le plus bas de la gambe qui devait faire plus de six mètres. Il fallut alors encore sortir de la cabine une rallonge pour la canne, en renversant deux ou trois trucs au passage. Enfin, je réussis à glisser la féra dans le filet. Et je pus lâcher ma canne et ma tartine par la même occasion, donnant libre cours à ma joie, car le poisson était de très belle taille.

Marc m'aida à décrocher la féra qui s'était emmaillotée dans la gambe, mais dut me laisser me débrouiller car il avait à son tour un départ sur sa canne. Je réussis à extraire mon poisson de l'épuisette et le tendis à Jean pour qu'il le mette dans le vivier. Mais le corégone n'était pas d'accord. Il frétilla sur la glacière et atterrit au milieu du pique-nique, renversant un ou deux verres pendant que Marc insistait pour que je lui passe l'épuisette. Jean s'évertuait à attraper mon poisson farceur avant le chien, qui, attiré par le corégone sauteur, était descendu dans nos pieds. Ambiance ! Ma gambe était encore dans le filet et je me dépêchai d'ôter les hameçons plantés dans les mailles. Mon chéri désespérait que sa féra se décroche et quand enfin je libérai l'épuisette, ce fut autour de mon beau-père de voir sa canne plier.

Après un ferrage bien dosé, il trouva que ce poisson se défendait d'une drôle de façon. En effet, c'était juste le corégone de Marc qui s'était amusé à croiser sa gambe. Avec dix-huit hameçons par ligne, cela prédisait une belle embrouille. Il ne put s'empêcher de rire même si quand le poisson fut enfin dans l'épuisette, à voir le sac de nœuds, il y avait plutôt de quoi pleurer. Il faut croire que les féras étaient attirées par la terrine parce que la dernière arrivée, m'échappant des mains, sauta aussi sur le casse-croûte !

Marc se dévoua pour démêler les gambes pendant que nous remettions de l'ordre dans le bateau. Dans le feu de l'action, les verres avaient volé, on avait marché sur le pain et le fromage (bien emballé, heureusement) flottait dans le seau avec les perches. Avec Jean, nous rigolions comme deux idiots au milieu du bazar en regardant Marc se débattre avec les chiros. A force, il réussit à séparer les gambes et nous l'avons félicité pour sa persévérance.

Nous pouvions redescendre les lignes et continuer notre repas.

Mais il n'y eut pas moyen de déjeuner tranquille. Les corégones semblaient décidés à manger, eux aussi. Notre casse-croûte fut encore chamboulé à plusieurs reprises et les gambes emmêlées. Argo profitait à plusieurs reprises de la confusion pour dérober quelques perches dans le seau et j'en avais mal au ventre à force de rire. Heureusement qu'avec l'agitation, le pique-nique s'éternisa car une fois la glacière rangée, les touches se firent de plus en plus rares. A croire que les féras avaient tenté de nous mettre au régime. Quand vint l'accalmie, j'en profitai pour monter devant la cabine. Allongée contre la vitre, la casquette sur le nez et bercée par les vagues je ne tardai pas à m'endormir. Ah, la sieste sur le bateau, quel bonheur!

Je fus réveillée une bonne heure plus tard par le bruit du moteur. Marc et son père ne prenant plus rien, il était temps de changer de coin. Le reste de l'après-midi fut plutôt calme du côté des féras, mais nous n'avons pas perdu pour autant notre bonne humeur. Pour retrouver un peu d'action, nous avons pêché à nouveau quelques perches. Puis, il fut l'heure de rentrer au port car avec tous ces poissons à nettoyer, nous avions encore du boulot sur la planche.

Bizarrement, lorsque je me mis les pieds sur le quai, j'eus la bizarre impression de tanguer. Légèrement grisée, j'aidai à décharger « Gamin » en réalisant que c'était un sacré privilège d'avoir un bateau. Avec un bon accent suisse, Jean me demanda si ma première sortie sur le lac de « G'nève » m'avait plu. Je fis la moue : « Bof, il est un peu trop petit ce canot ! Et puis, quel boxon à bord ! »

Mais mes yeux brillaient trop pour que je sois crédible. Pour sûr que j'étais contente ! Je n'aurais jamais pensé prendre autant de poissons et de plaisir à naviguer. Je ne soupçonnais pas que la pêche du corégone était si amusante. Je croyais jusque-là que c'était une pêche tranquille pour les « papis » comme beaucoup se plaisent à le dire. Ces poissons ont au contraire une belle combativité sans compter qu'au Léman, les féras de cinquante centimètres sont monnaie courante.

Et puisque Jean me proposait de revenir souvent je ne me fis pas prier pour accepter l'invitation. Marc n'ayant pas eu son mot à dire, il me rappela en souriant que son père était déjà marié. Jean le rassura sur le fait que de toute façon j'étais trop cinglée et qu'il me laissait volontiers à son fils. Les bras chargés de notre belle pêche, nous sommes repartis en laissant le « Gamin » dans le port. Quelle drôle de famille !

* * *

- XXIV -

Le brochet de Vassivière

Le séjour avait mal commencé. Abandon de notre camion en panne chez le garagiste à quelques kilomètres de la maison. Nous avions alors attelé le bateau au fourgon de Julien (notre meilleur copain sans qui les galères seraient bien moins drôles) et chargé notre matériel à l'arrière. Arnaud, le quatrième de notre fine équipe, prendrait finalement sa voiture pour tirer sa barque jusque dans le Limousin où nous devions rejoindre une bande de nouveaux amis pour cinq jours de pêche sur le lac de Vassivière. Nous avions six heures de route à faire et en partant en fin d'après-midi, nous avions initialement prévu de passer la première nuit dans nos camions respectifs puisque nous ne prenions possession du gîte que le lendemain.

Mais ayant déjà perdu suffisamment de temps avec ce problème de panne de dernière minute, et nous retrouvant pour la nuit avec un seul camion pour quatre, nous avons décidé avec Marc que nous dormirions dans le bateau sous la bâche. Je dois dire que même si nous avons de très bons duvets en plumes, cette nuit en plein mois de novembre tout près du lac ne fut pas des plus agréables et je me réveillais plusieurs fois à cause du froid. L'atmosphère était humide et le matin, le givre recouvrait tout autour de nous. La bâche nous avait certes évité d'être mouillés, mais les copains ne se sont pas gênés pour nous faire remarquer que nous étions complètement « givrés ».

Au lever du jour, en guise de récompense, nous avons découvert enfin le fameux lac supposé regorger de sandres. C'était pour ce poisson que nous avions fait le déplacement et Julien espérait enfin pouvoir conjurer le sort qui s'acharnait sur lui depuis quelques saisons. Tout le monde dans l'équipe avait pris un sandre au moins une fois dans sa vie à part lui et pourtant, ce n'était pas faute d'avoir essayé. Il se disait maudit par « *sander lucioperca* » et alors que nous étions déjà surexcités à la perspective de capturer un bon nombre de ces carnassiers plutôt rares chez nous, Julien la jouait prudente et se gardait bien de vendre la peau du sandre avant de l'avoir pêché.

Heureusement, dès le premier jour, Julien toucha deux ou trois sandres qui, même s'ils n'étaient pas maillés, nous donnèrent une bonne excuse pour fêter cela le soir même. On formait une belle équipe avec nos nouveaux amis, une équipe de gens qui partagent la même passion.

Thierry, un gars d'une gentillesse exceptionnelle, était un habitué de l'endroit et avait géré le plus gros de l'organisation. Il s'était occupé de la réservation du gîte, des courses et avait même poussé le détail jusqu'à nous imprimer une carte du lac sur laquelle il avait marqué ses bons spots à sandres. Personne ne se prenant trop au sérieux, l'ambiance était au beau fixe tout comme la météo qui, pour l'époque, se révélait presque trop clémente. Le lac de barrage était à son niveau le plus bas et les sandres ne semblaient pas encore en pleine activité, mais nous étions tout de même heureux d'en prendre quelques-uns chaque jour. Ayant constaté qu'ils étaient « mordeurs » tôt le matin, nous étions opérationnels dès le lever du jour. Nous quittions la mise à l'eau alors qu'il faisait encore sombre et parfois à travers le brouillard matinal, nous avions beaucoup de mal à nous repérer. C'est dans ces moments-là que l'on apprécie l'échosondeur, surtout lorsqu'il y a de nombreux hauts-fonds.

Les quatre bateaux s'éparpillaient dans les diverses anses du lac biscornu et nous nous retrouvions vers midi sur le bord pour un casse-croûte copieux et joyeux. On se rancardait sur le déroulement de la matinée et souvent, on se rendait compte que les sandres avaient mordu pendant une petite heure au lever du jour et qu'ensuite les touches étaient devenues plutôt rares. Certains avaient parfois plus de réussite, alors ils renseignaient les autres sur ce qui avait fait la différence et après le café, chacun repartait gonflé à bloc. Le lac, d'une superficie de mille hectares, présente une forme très découpée qui offre de nombreuses baies entre des collines boisées. Les abords sont sauvages et en plein milieu de l'automne, nous avons pu profiter du paysage dans une belle tranquillité que seuls nos rires venaient parfois troubler.

A la tombée de la nuit, nous remontions au gîte et la soirée commençait alors autour d'un apéritif agrémenté des histoires qui avaient marqué la journée. Puis, une fois à table pour un bon repas chaud, des tonnes d'anecdotes plus drôles les unes que les autres égayaient le menu. Chacun y allait de ses expériences et diverses techniques pratiquées. J'écoutais studieusement ceux qui avaient plus l'habitude que nous de pêcher ce satané sandre. J'enregistrais les précieux conseils d'animations, de montages, de choix des leurres afin de les mettre à exécution dès le lendemain. Je dois dire qu'avant de rencontrer toute l'équipe, j'appréhendais un peu la façon dont ils percevraient qu'une femme participe à ce séjour. Mais une fois les présentations faites et dès les premiers échanges je me suis sentie très à l'aise avec ces nouveaux amis qui ne semblaient pas le moins du monde dérangés par ma présence. Certains regrettaient juste que les sandres ne soient pas vraiment à la fête et qu'on n'en prenne pas de plus gros, sachant qu'il y a de nombreux spécimens du mètre dans ce lac.

Personnellement, je prenais déjà beaucoup de plaisir à la découverte de cette pêche plus fine que celle du brochet au lac Léman, où nous étions habitués à lancer de gros leurres avec des cannes puissantes. J'éprouvais une grande satisfaction lorsque j'avais un de ces carnassiers au bout de la ligne après avoir ferré, presque dans le doute tellement la touche est parfois subtile. Un soir, j'avouai même que j'étais très contente de commencer avec des poissons de taille raisonnable pour mieux apprécier le jour où j'en prendrais un énorme. J'en ai même fait un peu trop au risque d'être par la suite blasée en attrapant un trophée dès ma première expérience.

Bien évidemment je plaisantais car la prise d'un bon gros sandre ne m'aurait pas déplu. Et le soir, lorsque nous allions nous coucher, je rêvais certainement comme chacun que le lendemain serait un jour encore meilleur.

L'ambiance aidant, le temps est passé très vite et nous abordions déjà la dernière journée avec le sentiment que c'était maintenant ou jamais. Le matin avec Marc, nous avons opté pour une bordure abritée du vent qui nous a offert en prime un beau rayon de soleil, alors que le reste du lac allait rester dans le brouillard une bonne partie de la matinée. Nous avions fait le bon choix : je remontai un joli sandre au bateau, nous en décrochâmes quelques autres. Marc prit plusieurs brochets dont un qui dépassait les soixante centimètres. Cela nous changeait des brochetons habituels.

A midi, le pique-nique fut particulièrement animé mais un peu moins long que d'habitude puisque tout le monde avait pris du poisson et était impatient de retourner pêcher. Hélas, l'après-déjeuner n'eut rien à voir avec la matinée et nous n'eûmes pas une seule touche de l'après-midi. Voyant le soir approcher, je suggérai à Marc de changer une nouvelle fois de poste.

Il me laissa prendre les commandes du bateau et suivre mon intuition. Je choisis la rive opposée du lac, abritée du vent qui permettait de pêcher sans trop se geler les mains. Une bonne heure, une longue dérive et de nombreux lancers infructueux plus tard, le moral était descendu au plus bas.

Nous étions côte à côte à l'avant du bateau à ramener nos leurres en plaisantant malgré tout, lorsque je sentis une touche très discrète. Complètement déconcentrée, je n'eus pas le réflexe de ferrer et me maudis d'avoir loupé l'occasion. Je continuais cependant à animer lentement mon leurre jusque sous le bateau. C'est alors que cette fois, la touche, plus franche sans être extraordinaire, me fit enfin réagir. Toute proche de Marc, je manquai de lui mettre un coup de canne dans la tête et lui s'excusa de m'avoir peut-être fait louper mon ferrage quand je sentis que le poisson était bien au bout et qu'en plus, « il n'était pas vilain ».

Bizarrement, il ne mettait pas de coups de tête et commença à prendre du fil. Nous pensâmes tout de suite à un brochet et puisque je n'avais qu'un bas de ligne en fluoro 25/100, nous n'avions pas beaucoup d'espoir pour la suite. Le poisson faisait chanter le frein sans panique et je commençais à me rendre compte qu'il était plus que « pas vilain », mais j'étais encore loin d'imaginer ce que je tenais là. Maintenant, je pense qu'il ne me sentait même pas encore à l'autre bout de la ligne. Ma canne très légère ne me permettait pas de faire grand-chose. Au fur et à mesure que le poisson se baladait, je réalisais qu'il était vraiment lourd et que c'était loin d'être gagné. La pression montait de plus en plus. Marc avait alors reposé l'épuisette en rigolant et m'encourageait à garder mon sang-froid en me disant de prendre mon temps. Lorsque ce fut nécessaire, il s'occupa de suivre le poisson avec le moteur électrique et j'essayais tant bien que mal de reprendre du fil sur la bête. Les minutes passaient ...

Dès que l'occasion se présenta, je tentai de remonter le poisson vers la surface mais à chaque fois, celui-ci me reprenait encore plus de fil. Nous ne l'avions toujours pas aperçu et craignant le pire à chaque rush, je pensais ne jamais le voir. C'est alors qu'il s'éloigna du bateau et remonta en surface nous dévoilant sa dorsale et sa queue énorme.

– Wouaaah !

Nous étions sidérés ! Il pivota légèrement et nous vîmes alors son flanc d'une largeur stupéfiante. Il resta en surface à une quinzaine de mètres du bateau et le temps qu'on se remette de notre état de surprise, je dis à Marc :

– Vite, vite ! Avance jusqu'à lui, on va l'épuiser !

Mais cela aurait été bien trop facile et le brochet replongea aussitôt.

Maintenant que je savais à qui j'avais affaire, c'était encore plus la panique dans ma tête. Marc rigola en voyant ma canne pliée en deux qui tremblait comme une feuille. Le poisson avait repris le fond et s'éloignait à nouveau du bateau. Sa soudaine accélération vers la surface me fit tout de suite comprendre qu'il partait pour une chandelle. Je suppose que la fatigue et son poids l'empêchèrent de sortir complètement de l'eau, mais nous avons bien cru que ce serait là la fin du combat. Il retomba lourdement avant de reprendre de la profondeur en me laissant soulagée de toujours l'avoir au bout de la ligne. J'avais cependant l'impression qu'on en finirait jamais.

Les minutes défilaient et j'avoue que je commençais à avoir mal au bras. Petit à petit, je sentis quand même que j'arrivais plus facilement à le tirer vers le haut et les vrais signes de fatigue du poisson me rassurèrent légèrement. Il continuait à faire chanter le frein, mais moins longtemps. Je prenais enfin le dessus. Je réussis à le faire apparaître près du bateau mais à la vue de celui-ci, le monstre replongea sous la coque pour passer de l'autre côté. Je contournais le moteur avec le scion de la canne dans l'eau et la peur que cela se termine sur cette manœuvre. Je n'en revenais pas que tout se déroule à la perfection et je recommençai à hisser la bête vers moi. A sa deuxième apparition, il n'appréciai toujours pas la vue du bateau et Marc dut attendre la troisième fois pour pouvoir le piéger dans l'épuisette. Nous hurlâmes de joie et le stress laissa enfin place à l'exaltation.

Marc dépiqua le petit leurre de 8 cm du coin de l'énorme gueule du brochet et nous comprîmes alors pourquoi le bas de ligne n'avait pas été coupé. Le poisson courbé dans l'épuisette ne semblait pas mesurer plus d'un mètre, ce qui d'ailleurs suffisait à notre bonheur.

Or, nous étions loin de la vérité et ce n'est que lorsque Marc le posa sur « la maille à poutre » que la vraie taille du monstre nous laissa sans voix. Quelque temps auparavant, lorsque nous avions acheté cet ustensile de mesure, nous avions plaisanté avec le vendeur sur le fait qu'elle s'arrêtait à 120 cm, ce qui était juste pour les brochets du Léman. Et en effet, c'était tout juste la longueur du brochet de Vassivière. Il était énorme et ce n'est pas sans difficulté que je l'ai soulevé pour finalement, une fois assise, le poser sur moi pour quelques photos.

J'éclatai d'un rire nerveux lorsque Marc me dit de le soulever puisque j'étais incapable de décoller de mes genoux la bête qui devait faire une bonne quinzaine de kilos. Le combat plus l'émotion m'avait séchée ! Evidemment, nous avons pris le temps nécessaire pour réoxygéner ce beau poisson qui était, il faut le reconnaître, bien fatigué. Je pense qu'il est bien reparti et j'espère qu'il donnera autant de plaisir que j'en ai eu à un autre pêcheur. En réalité, je lui souhaite quand même de ne jamais recroiser un leurre et encore moins de s'y laisser prendre.

De retour au port en bons derniers comme d'habitude (mais là, on avait une bonne excuse), les copains déjà informés de ma prise fabuleuse nous attendaient presque aussi joyeux que nous. Notre copain Arnaud m'interviewa caméra à la main pour saisir mon récit avec toute la fraîcheur de mes émotions et la lumière de ma lampe frontale qui éblouissait l'objectif. C'était l'euphorie sur le ponton !

De retour au gîte, on se moquait de moi qui, la veille, disais avec modestie que je me contentais volontiers « de petits poissons ». J'avouai d'ailleurs que mon objectif jusqu'alors était de prendre un brochet d'un mètre tout au plus et je restai abasourdie par ce qu'il venait de m'arriver. J'ai gardé un sourire idiot tout le reste de la soirée et lorsque mon regard croisait celui de Marc, nos yeux encore surpris en disaient long sur cette aventure inimaginable.

Le lendemain, j'étais encore sous le choc et j'ai eu bien du mal à me concentrer sur les quelques heures de pêche matinale que l'on s'était accordées avant de reprendre la route. Vers onze heures, nous avons quitté nos amis avec la promesse de se revoir dès que possible et surtout de se retrouver tous ensemble l'année suivante dans le même gîte, parce que, comme je l'avais crié la veille en relâchant mon énorme brochet, « Vassivière, c'est du tonnerre ! »

* * *

- XXV -

Ma plus grosse truite

Il est presque midi en ce début du mois d'avril et je me décide à redescendre la rivière pour rejoindre Marc et casser la croûte. Nous sommes là depuis neuf heures ce matin et j'ai avancé vers l'amont rapidement comme à chaque fois que je découvre un secteur. J'ai toujours cette curiosité qui me pousse à visiter, à aller voir après le virage, puis après le courant, puis au bout du plat... Je me suis certainement bien éloignée de Marc qui, lui, est parti vers l'aval. J'ai bien vu et réussi à approcher quelques jolies truites, mais pas moyen de conclure. Elles ne se nourrissent pas, à part une zébrée énorme qui chasse les vairons. Mes nymphes ne les intéressent pas et j'ai bien eu l'impression que la grosse était partie en rigolant quand je lui ai fait passer un streamer sous le nez.

Ce n'est pas grave, j'ai malheureusement l'habitude des bredouilles et si parfois, j'enrage de ne rien faire, ce matin, je prends les choses avec philosophie. J'ai découvert un nouveau parcours qui me ravit. L'endroit semble très favorable pour abriter de belles truites à traquer en nymphe à vue. Il fait un temps splendide et une belle ambiance printanière entoure la rivière. Les rossignols dans leur quête amoureuse me font entendre leurs plus belles mélodies tandis que des loriots, perchés au sommet des peupliers, rajoutent une note d'exotisme avec leur chant si particulier. Je suis tout à fait sereine, d'autant plus que le week-end ne fait que commencer. Je marche donc tranquillement, mais je jette quand même un œil sur les bordures dans les passages dégagés, on ne sait jamais...

Le soleil est haut et je vois une nuée de barbeaux géants naviguer entre deux eaux. Ils sont magnifiques, ces poissons dorés, et parmi eux j'aperçois de gros chevesnes. Faute de truite, je me dis qu'un cabot fera bien l'affaire pour m'amuser un peu et je descends du chemin pour envoyer ma nymphe dans le courant. Le temps de sortir un peu mon bas de ligne, je regarde les poissons tourner devant moi et soudain, j'aperçois cette truite extraordinaire qui se promène au milieu de tout ça. Les autres ne sont pas inquiets alors qu'un mélange de crainte qu'elle ne s'en aille et de trouille d'avoir un tel poisson au bout de la canne m'envahit. J'envoie mon gammare juste comme il faut pour ne pas l'effrayer et qu'elle le croise dans quelques secondes. Malheureusement, elle l'ignore complètement et disparaît dans l'ombre. Je reprends mon souffle, car j'ai dû faire de longues secondes d'apnée. Elle a une de ces têtes ! Elle fait partie de ces truites que je surnomme « à la tête qui fait peur », car elle est vraiment impressionnante avec sa gueule de travers. Je l'ai perdue de vue et la cherche sans bouger. Les minutes s'allongent et elle réapparaît enfin, mais elle m'a surprise et elle est bien trop près pour que je tente quoi que ce soit. Elle passe devant mes pieds, au ralenti comme pour me narguer et je me persuade qu'elle me voit. Je suis debout là, immobile juste au-dessus d'elle, comment pourrait-elle ne pas me remarquer ? En plus, ses yeux bougent de telle manière que j'ai vraiment l'impression qu'elle me regarde.

– Oh là là, c'te tête qu'elle a ! Elle fait au moins soixante-dix !

J'ai à peine le temps d'admirer ses zébrures qu'elle s'évanouit à nouveau dans le sombre. Elle n'a pas accéléré, alors je me décide à changer de nymphe. Il y a pas mal de sedges en ce moment alors j'opte pour un cul vert. Les minutes paraissent des heures, je fouille des yeux le fond de la rivière. Où est-elle ? Il faut qu'elle revienne... Le temps s'allonge... Ah, la voilà à nouveau ! Elle fonce sur des vairons, en traque un jusque dans les pierres à ras du bord et à quelques mètres à peine de moi. Il n'y a plus que sa queue qui dépasse et un instant j'ai presque envie de bondir pour essayer de la choper à la main. Mais je suis sûre de me louper et de la faire fuir à coup sûr.

Même si je meurs d'envie de l'attraper, ce n'est pas une bonne stratégie et surtout ce n'est plus de la pêche à la mouche. Je me résigne car elle va bien finir par ressortir et là, je lui présenterai ma nymphe. Quelques secondes passent et ça y est, la voilà qui ressort à reculons, elle pivote enfin pour continuer sa ronde. Elle a la tête face à moi, mon tricho dérive déjà et bien que je ne le voie pas, je devine qu'il arrive dans sa trajectoire. Je sais déjà que je n'ai pas le droit à l'erreur. Incroyable ! Elle ouvre sa grande gueule blanche... Je ferre... Oh, mon Dieu ! Elle reste sur place, secoue la tête et ma canne par la même occasion. Je n'en reviens pas et j'ai le cœur qui s'emballe, elle a pris et va certainement partir comme une furie. C'est l'affolement dans mon cerveau et je ne peux m'empêcher de crier.

Je lui laisse faire son premier rush. C'est la panique ! Je pense à Marc qui doit être au moins cinq cents mètres plus bas, il faut que je le prévienne mais avant, je dois déjà maîtriser un peu mieux la situation. La truite, qui a plongé en direction de la rive opposée, fonce maintenant vers l'amont. Je vois ma soie qui dessine un ovale, je crains le pire et tente de la suivre, mais je n'ai pas beaucoup de marge sur cette bordure. Enfin, elle redescend et j'en profite pour rembobiner un peu, histoire surtout de garder le contact, car je n'ose même pas la brider. Elle repart de plus belle, elle revient, j'essaie de garder mon sang-froid en me disant qu'elle se fatigue. J'espère juste qu'il n'y a pas de piège au fond de la rivière et qu'elle ne va pas me faire un plan pourri. Au bout de plusieurs minutes, ses accélérations sont moins fulgurantes et je commence à la brider un peu, mais elle continue malgré tout à faire ce qu'elle veut. J'arrive quand même à attraper mon téléphone portable et je suis presque rassurée d'entendre Marc répondre.

– Allô, mon chéri ? J'ai un monstre au bout de la canne... Oui, oui, viens vite !

Le monstre en question est enfin visible et j'envisage de le remonter vers la surface, mais j'ai mal rembobiné ma soie et ça coince dans le moulin. Je soupire d'agacement. Quelle galère! Je n'ai pas assuré et si elle me fait un départ maintenant, ça va casser. Alors je ressors de la soie pour remettre tout ça dans l'ordre, en continuant quand même à maintenir une certaine tension de la main droite dans la ligne. La mienne de tension a dû monter à son maximum et à chaque seconde qui passe, je crains que mon rêve se décroche. J'arrive à rapprocher l'énorme truite petit à petit et j'attrape mon épuisette, il va falloir viser, car cette fois-ci, le filet me semble bien petit. J'ai l'impression qu'elle ne va jamais rentrer dedans. Bien évidemment à la première tentative, elle esquive et tente de s'enfuir, mais elle commence à fatiguer et je réussis à la "convaincre" de revenir. Sa tête monstrueuse entre dans l'épuisette, j'avance vite celle-ci pour la prendre au piège. Ouf ! Ça y est, c'est fini, j'ai enfin réussi. Je pousse un cri de joie, non, je hurle tellement je suis heureuse. Je l'ai enfin, ma belle zébrée! Je pose la canne et quand je me redresse pour mettre l'épuisette plus près du bord, j'ai les jambes qui tremblent. J'enlève non sans égratignures la mouche du palais de ma truite fabuleuse.

– Cette gueule qu'elle a !

Je n'en reviens pas.. Je passe ma main sur sa tête, je la caresse... l'émotion est tellement forte que je me mets à pleurer. Ce sont des larmes de joie et un immense soulagement après beaucoup d'échecs. Je désespérais tellement de prendre un tel poisson, je n'en demandais même pas autant. Je lui parle en sanglotant, je lui dis qu'elle est magnifique et lui répète « Merci de tout mon cœur ».

Quand Marc arrive, il me trouve agenouillée dans l'eau, encore tremblante mais avec un sourire qui en dit long. Il est essoufflé et m'explique qu'il a couru comme un dératé et s'est même vautré à cause d'une racine. Puis il voit la queue de ma zébrée qui dépasse de l'épuisette et impressionné, il me félicite. Il est très heureux, car il sait ce que représente cette prise pour moi, d'autant plus que j'ai fait la tête tout le week-end dernier en maudissant ma malchance et mon incapacité à prendre une truite de cinquante. Celle-ci dépasse largement tous mes espoirs avec ses soixante-dix centimètres et sa gueule tordue de beau mâle. Nous nous émerveillons devant ce trophée le temps de quelques photos rapides et Marc me demande si je veux le garder. D'autres le feraient pour exhiber des preuves de leur réussite, mais il est hors de question que j'assomme cette truite bien trop belle, surtout après tout le bonheur qu'elle m'a donné. C'est donc avec joie et reconnaissance que je relâche mon magnifique bécard. Quand je me relève, je suis encore étourdie de tant d'émotions, je suis tellement heureuse d'avoir réussi à saisir ma chance.

J'ai longtemps cru que cela n'arrivait qu'aux autres d'attraper des poissons fabuleux, mais maintenant je sais que les rêves se réalisent parfois quand on s'y attend le moins. Une chose est sûre, c'est qu'il ne faut jamais cesser de croire en soi.

* * *

- XXVI -

La Girouette

Depuis dimanche, mon esprit est hanté par cette belle
zébrée que j'ai décrochée. Je venais d'épuiser un gros ombre
au dos large, approchant les cinquante centimètres. J'étais
ravie de cette prise car le ciel capricieux et ses averses fréquentes rendaient la pêche à vue très difficile. En plus, c'est un
poisson que j'avais déjà essayé de leurrer plusieurs fois auparavant, mais sans succès. Après quelques photos, ayant repéré un de ses congénères pendant le combat, je me replaçai
au même endroit pour voir s'il était toujours dans les parages.
La nymphe à la main, je scrutais l'eau à la recherche du bel
étendard dans le courant quand soudain, venue de nulle part,
comme affolée, une très belle truite est descendue sous mes
yeux ébahis pour se retourner et se placer à quelques mètres
de moi. J'ai d'abord cru qu'elle m'avait repérée et quand elle
s'avança dans le courant, j'étais persuadée qu'elle s'enfuyait.
Mais non, la belle prit quelque chose et se posta à nouveau
juste en dessous de moi. Je n'en revenais pas, j'étais debout
devant elle et elle ne me voyait pas. Cela dit, j'étais sûre de la
faire fuir au premier semblant de geste .
Il fallait pourtant que je tente quelque chose. Du genre
« le tout pour le tout » qui se transforme d'ailleurs la plupart
du temps en « tout pour le rien » (mais « qui ne tente rien n'a
rien »).

Je tirai alors sur ma pointe pour sortir un peu plus de fil et d'un geste pour une fois réussi du premier coup, j'envoyai ma nymphe quelques mètres au dessus dans le courant. J'étais contente de moi puisqu'avec la pression, je n'avais pas oublié la branche juste au-dessus de ma tête et mon gammare était tombé au bon endroit. La truite n'avait pas bougé et je pus accompagner ma mouche dans sa dérive. Et le temps s'est arrêté une première fois : quand ce poisson, que j'estimais à presque 60, s'est décalé légèrement et a ouvert la gueule. Je devinais ma nymphe plus que je ne la voyais. J'ai senti qu'elle était dans les parages, que c'était sûrement pour elle. Et j'ai ferré. Et le temps s'est arrêté une deuxième fois quand elle a secoué la tête pour confirmer que c'était bien mon imitation qui venait de la piquer.

Et dans ma tête, l'adrénaline a commencé à secouer mon cerveau au même rythme. Et j'eus droit à ce délicieux petit moment de panique qui, plus que toute autre sensation, nous fait revenir au bord de la rivière.

Je savais que l'affaire ne serait pas simple et je retrouvai un semblant de calme. Il fallait surtout éviter que cette furie se réfugie sous cette satanée branche en amont. J'essayai de la dissuader tant bien que mal de prendre cette direction, mais de nombreux autres pièges tels que les berges creusées et autres rochers m'inquiétaient. Elle était déchaînée et partait dans tous les sens, faisant sortir au passage une autre belle truite toute noire de sa cachette.

Au bout de plusieurs minutes, je crus enfin commencer à maîtriser la situation et décrochai même l'épuisette de mon gilet quand, comme dans une dernière tentative, cette maudite zébrée se mit à faire la girouette, à tourner, tourner, tourner sur elle-même comme une patineuse soliste de Holiday on Ice. Je n'arrivais pas à lui faire changer de stratégie, joignant même la parole au geste, tentant bêtement de la raisonner. Comme si la raison des truites pouvait s'accommoder de la nôtre.

Et ce qui devait arriver arriva. Au moment où je lui répétais « Arrête, arrête, arrête ! » pour la vingtième fois, elle accéda à ma demande. Et le temps aussi, pour la troisième fois, s'arrêta, la scène entière se figea en un douloureux clap de fin. Moi, regardant mon gammare pendant lamentablement au bout de ma canne. La truite, comme étourdie de son manège, restant là, sur place, incrédule, n'osant pas réaliser qu'elle avait gagné la partie.

Prudente, sans doute pour ne pas trop faire étalage de sa bonne fortune, elle alla se poser pendant de longues secondes non loin de moi. Je la regardai consternée. J'imaginai un instant essayer de l'attraper avec mon épuisette et dans le même temps, j'abandonnai cette idée. Elle avait gagné, c'est tout ! J'admirai une dernière fois ses zébrures et sa longue tête et la belle disparut finalement sous un rocher.

J'en avais presque mal au ventre et les larmes n'étaient pas loin. Toute cette excitation m'avait épuisée. J'ai changé de coin et j'ai pêché encore quelques heures, mais la concentration n'était plus la même. Cette truite avait pris possession de mon esprit et je repris la route du retour plus tôt que d'habitude ce jour-là. Aujourd'hui encore, je me surprends régulièrement dans la journée à penser à cette superbe zébrée. J'aurais tant aimé pouvoir la toucher, la photographier pour matérialiser « ma réussite ». Il ne me reste que ma mémoire marquée par ces instantanés du temps arrêté. En tout cas, je ne désespère pas de recroiser la Girouette un jour.

* * *

Table des matières

* * *

* * *

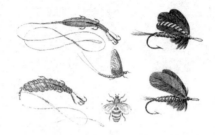

Imprimé en France
par Corlet Imprimeur (14)
Juin 2016

ISBN : 978-2-37062-042-2